漢方のプロが教える

最高の体調をつくる食事術

医師／医学博士
山本竜隆

国際中医師／国際薬膳師
石部晃子

アスコム

はじめに

いま、コロナウイルス感染症が、多くの人々を不安に陥れています。

自らが感染していなくても、いずれは感染するかもしれないという恐怖に、ほとんどの人が怯えて暮らしているといっても過言ではありません。

感染症に負けないためには、自らの体調が万全であることが基本。体力、免疫力などがしっかりと整っていれば、病気になる確率がぐっと減ります。薬に頼るより先に「最高の体調」を手に入れることが先決です。

そのために基本となるのが「食」です。なぜなら、私たちの体は食べたものでできているからです。

しかし、やみくもに健康に良さそうなものを食べればいいということではないのです。スーパーの売り場から納豆が消えるような事態が起きたと聞きますが、もっと適切な食品の選び方があるように思えてなりません。

体質は一人ひとり異なります。その人に合った食べものはそれぞれ異なります。自分がどんな体質なのか、まずはそれを知らない限り、最高の体調は実現できません。例えば、体にいいと言われているトマトや玄米で、かえって不調になる人だっているのです。

この本では、序章であなたの体質がわかるチェックリストを設けました。1分程度で終わる簡単なもので、体質は8タイプに分類されます。家族や友だち同士でテストすると、盛り上がるかもしれません。

そして第1章以降で170品目以上の食べものや飲みものについて、ひとつひとつ詳しくご説明します。取り上げた食材は、普段スーパーで買えるものを中心に選んでいます。

ウイルスとの戦いはまだしばらく続きそうな気配ですが、そんな時代だからこそ、普段の暮らしを見直すことで、皆さんが日々健やかに過ごされることを願ってやみません。

山本竜隆
石部晃子

CONTENTS

第1章

穀物

第2章 豆類

第3章 種実類

第4章 芋類

第5章

野菜・きのこ類

第6章 果物

第7章 肉・卵類

第8章 魚介類・海藻

第9章 加工食品

CONTENTS

※本書で解説した食材の効き目は、個人差があります。また、治療中の方は、医師とよくご相談ください。

序章

自分の体質を知ることが健康への第一歩！

食事は、体の不調を治す最高の療法

——食べものが、薬や病院を遠ざける

＋食べものだけで体の不調を解消できる

体の不調を治す方法は、薬を飲んだり病院に行くだけではありません。食べもので体の不調を治すこともできるのです。いや、むしろ、食べものだからこそ治る場合も多いのです。

もちろん緊急時には、特効薬や手術が必要にはなります。でも、生活習慣病や頭痛、疲れ、冷えなどの不調を解消するのであれば、食べものが大きな力になってくれます。

美味しい食事をするだけで医療費を使わず、副作用もなく不調が治るのですから、実践しない手はありません。

✚ 間違ったものを食べると「不調」を引き起こす

ただ、**何を食べるかが重要。そこで注意したいのは、健康食品と呼ばれるものばかりを選んでしまうこと。**例えばしょうがが健康にいいからと、朝昼晩と毎日食べ続けるのは問題ありです。同じ食材の食べ過ぎはよくありません。

また、自分の体質に合った食べものを摂ることも大切です。

人間の体質は大きく8つのタイプに分類できます。自分がどのタイプに該当するのかを知り、そのタイプに合う食べものを選んだほうが健康に効果があるのです。

さらに、その食べものが、どんな効用が期待できるのかを知ることも大事。どの食べものも「得意な効用」がありますから。詳しいことは第1章以降で解説しています。

また、**自分の体質に合わない食べものを、知っておく必要があります。**薬や治療法が体質によって合う・合わないがあるのと同様に、食べものも体質によって相性がありま す。

「体によい食べもの」といっても、人によっては逆効果になる場合もあるですが、それは体質に理由があるのです。例えば、体を温める効果の高い食べものは、冷え性には向いていますが、ほてりやすい体質には不向きです。

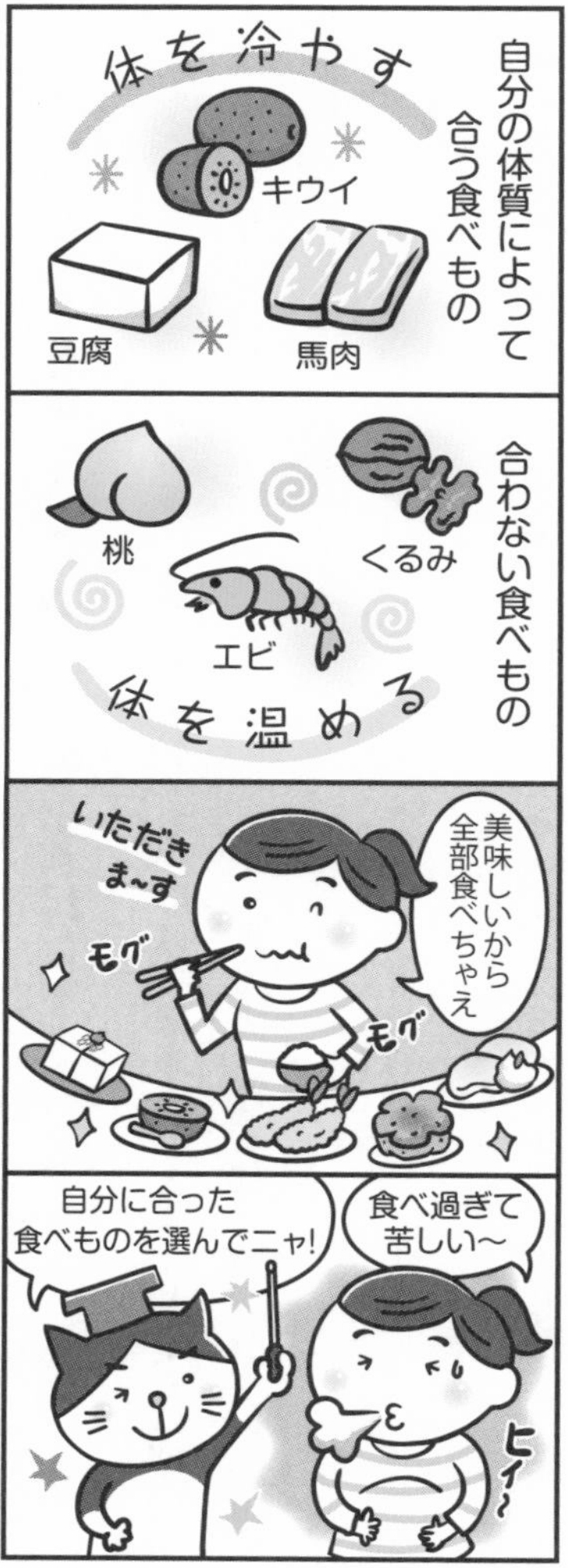
自分の体質によって合う食べもの
体を冷やす
キウイ
豆腐
馬肉
合わない食べもの
くるみ
桃
エビ
体を温める
美味しいから全部食べちゃえ
いただきま〜す
モグ
モグ
食べ過ぎて苦しい〜
自分に合った食べものを選んでニャ!
ヒイ〜

体によいはずの食べものが、実は体調を崩す原因に…

——健康食材の代名詞・トマトなどが、体調不良を引き起こすことも

トマトは本当によい食べものなのか？

「食で健康になる」というテーマになると、すぐに「体によい食べものとは」という話になりがちです。

今も昔と変わらず、テレビや雑誌などのメディアでは、「○○健康法」というタイトルが登場しています。中でも注目を集めているのは、最も身近で、最も簡単に取り入れられる〝食べもの〟をテーマにした健康法。「○○を毎日食べると血液がサラサラに！」は、その典型。ある食べものが「健康によい」と取り上げられると、放送直後から品切れになってしまうということも、よくありました。

例えば、トマト。ダイエット効果もあるとされ、女性を中心に人気を集めています。美容と健康のために毎日欠かさずトマトを食べている、という人もいるようです。

確かに、トマトには抗酸化成分のリコピンがたっぷりと含まれているため、アンチエイジング効果が期待できるといわれています。血液をサラサラにし、ダイエットにも有効だったと証言する人も少なくありません。

では、**トマトは本当にすべての人に合う「健康によい食べもの」なのでしょうか。**

トマトはビタミンやミネラルが豊富で、余分な水分を排出してくれる効果のあるカリウムが含まれています。こう聞けば、大いに食べるべ

き食材と思えるかもしれません。

しかし、それは食べものを「栄養素」という視点で見たときの話。角度を変えて中医（中国で古くから伝わる医学）の視点から見れば、トマトは「清熱解毒《せいねつげどく》」といって、余分な熱を冷まし、有害物を解毒して血液を浄化する作用があるとされています。

ますますよい食べもののように思えるかもしれませんね。しかし、そもそも植物学的に見れば、トマトは暑い時期に旬を迎える夏野菜。気温が上がり、体が熱くなる季節だからこそ、トマトが持つ「清熱」の作用が有効に働くのです。今はハウス栽培のおかげで1年中食べられるようになりましたが、「清熱」の作用は昔と同じ。つまり、**体が冷える季節にトマトを食べると、ますます冷えがひどくなってしまう**のです。

「毎日1個のトマト」はリコピンによる抗酸化作用のみに注目すれば、アンチエイジング効果があるかもしれません。しかし、「清熱」に注目すれば、トマトはやはり暑い季節に合う食べものなのです。

✚ 玄米は胃腸が弱い方には不向き

健康食材として親しまれている玄米も同様です。ダイエットやデトックスで効果があるといわれ、家で毎日玄米を炊いている人も多いことでしょう。

しかし、**消化しにくい性質もあり、胃腸が弱い方には負担となります。また、熱がある場合も、避けたほうが無難**です。

角度を変えてみると、見慣れた風景も違って見えることは、よくあることです。食べものも同じことがいえます。

健康効果のある特定成分のみに注目するのか、植物学的に見るのか、あるいは中医的に見るのか…。

ひとつの角度から見て「○○に効果があるから」とそればかりを食べると、健康になるどころか体調を崩す原因になることは、知っておいたほうがいいでしょう。

だからこそ、まずは自分の体質を知ることがとても大切なのです。

パク
パク
どっさり
ヤレ
ヤレ

「自分の体質」は8つのタイプに分けられる

――「〝体質〟自己診断テスト」で、自分に合った食べものがわかる！

✚〝体質〟を知れば、健康になれる

人間の体質は大きく分けると、８つのタイプに分類できます。ただし、血液型などとは違い、**体質はたったひとつのタイプに決まるものではありません。**いくつかを併せ持つのが一般的です。

まずは22ページから始まる〝体質〟自己診断テストをしてみましょう。あまり深く考えず、直感で「はい」「いいえ」を答えてください。これにより、あなたがどんな体質なのかが判定できます。

グループごとに設問があります。それぞれの設問に当てはまったら、横にある数字に

○をつけていきます。当てはまらない場合は○をつけず次の設問に進んでください。最後まで答えたら、グループごとに○がついた数字の合計を記入します。ひとつも○がつかなかったら、「0」と記入してください。

8グループすべての数字が出たら、**点数が最も多いグループが、あなたのタイプです。24～31ページの診断結果をご覧ください。**

点数が同じグループがいくつかあったら、あなたはいくつかの体質を併せ持っている証拠です。当てはまるタイプのページをすべてお読みください。

〝体質〟自己診断テスト

A

		[合計]
すぐ疲れる	4	点
「無気力に見える」と言われる	3	
食欲がない	3	
風邪を引きやすい	3	
朝はなかなか起きられない	2	

B

		[合計]
食事が不規則で夜遅くなることが多い	4	点
太り気味	3	
便秘しやすい	3	
ご飯やパン、麺類、甘いものをよく食べる	2	
食後に吐き気があることが多い	3	

C

		[合計]
イライラしたり怒りっぽくなりやすい	4	点
目が充血しやすい	3	
ストレスを感じている	4	
お腹に張った痛みがある	3	
対人関係がうまくいかず、辛い	1	

D

		[合計]
手足が冷える	4	点
全身がぞくぞくする不快な寒気がある	4	
顔色が青白い	3	
慢性的に関節が痛む	2	
トイレに行く回数が増えた	2	

E

肌がよく荒れる	3	［合計］ 点
１度の睡眠でたくさんの夢を見る	2	
寝汗をかくことが多い	3	
耳鳴りがある	3	
乾燥してコロコロした便が多い	4	

F

唇が紫色になりがち	3	［合計］ 点
肌のハリ、潤いがなくなってきた	3	
肩こりに悩まされている	3	
月経（男性はイボ痔）の悩みがある	4	
手足にしびれや冷えがある	2	

G

足がむくみやすい	5	［合計］ 点
体が重く感じる	3	
立ちくらみ・めまいがある	3	
舌に歯の跡がつく	2	
水っぽい鼻水が出る	2	

H

思考が停止することがよくある	4	［合計］ 点
憂うつ、不安になりやすい	4	
寝付きが悪い・夜中に目覚めるなど睡眠の質が悪い	4	
心臓がドキドキすることがある	3	

Aの点数が高いのは…

疲れ型
〈虚証《きょしょう》〉

気力、体力が足りず、ちょっとしたことでも疲れやすく、常に倦怠《けんたい》感がある。顔色が青白く、脈も弱々しい。食欲があまりなく、太れない。筋力もなく、いざというときに踏ん張りがきかない。

抵抗力も弱いため、風邪など病気になりやすい。

すでに慢性疾患がある可能性も高いので、検査したほうがよい。

＋ 生活アドバイス ＋

激しい運動は避けて、十分な休養と規則正しい生活を送って体内のリズムを整え、生命力を補うことが必要。無理に食べて気力・体力を復活させようとすると、胃腸に負担がかかり逆効果になることも。

ヨガや太極拳など、ゆったりと呼吸を整えながら行う軽い運動がおすすめ。

B の点数が高いのは…

食べ過ぎ型
〈積滞《せきたい》（食滞《しょくたい》）〉

基礎体力があり、食欲も旺盛で人一倍食べられるため、周囲も本人も健康に問題なしと思いがち。しかし、食べたあとに胃がもたれたり、吐き気やゲップがあるなど膨満《ぼうまん》感に悩まされることが。便秘しがちで、いつもお腹がすっきりとしない。

これらの症状は胃の処理能力が弱い証拠で、実際は本人が思うほど量を食べたり、脂っこいものが食べられるわけではない。食生活が乱れがちなのも特徴。

＋ 生活アドバイス ＋

暴飲暴食をしがちな傾向があるが、思っているほど胃腸が強くないことを自覚し、規則正しい食生活と睡眠と休息をしっかりと取ることが重要。早食いやながら食いなど、食べ方も整える必要が。

胃の調子が悪いときだけでなく、定期的に断食を取り入れると、体調がよくなる。

Cの点数が高いのは…

ストレス型
〈気滞《きたい》〉

東洋医学で全身を巡っているとされる「気・血・水」のうち「気」がスムーズに巡らず、滞っている状態。イライラしたり、ちょっとしたことで落ち込みやすく、ため息を連発する。几帳面で完璧主義な面があり、余裕を失いやすい。

下痢や便秘でもないのにお腹に張ったような痛みがあり、目も充血しやすい。

＋ 生活アドバイス ＋

神経質なまでに完璧を求めるクセで自分を追い込んでしまいがちなので、心と体が安らぐ手段を見つけ、張りつめた心をゆるめる時間を持つことが大切。食事は消化の悪いものは避ける。

アロマテラピーなど香りを使った癒《いや》しの時間は、緊張をほぐす効果があるので積極的に取り入れて。漢方や整体などで心と体をほぐすのも大事。

D の点数が高いのは…

冷え型
〈寒証《かんしょう》〉

いつも寒さを感じていて、手足が冷えきっている。血行が悪く、顔色は青白い。基礎代謝が少なく、食も細い。体を動かすのが苦手でいつもじっとしている。

寒がりのため冬が苦手で、気温が下がるほど行動が少なくなる。夏でも冷房が苦手で、冷え症になりやすい。

＋ 生活アドバイス ＋

とにかく寒がりなので、体を温めることが不可欠。入浴をシャワーで済ませるのは厳禁。夏でも浴槽に湯を張ってじっくりと温まり、汗をかくようにする。また、夏でも冷たい飲みものや食べものを避け、温かいものを食べるようにする。

香辛料や辛いものはこのタイプにはおすすめ。熱を発生させるため、できるだけ歩くなどして体を動かすことを心がけるとよい。

Eの点数が高いのは…

乾燥型
〈陰虚《いんきょ》〉

体内の水分が不足し、体に余分な熱がこもっている状態。皮膚《ひふ》や髪が乾燥し、潤いが不足している。どちらかといえばやせ型で、夜型の生活をしている人に多いタイプ。大人しく元気が足りない人も多く、疲れやすいのも特徴。胃腸が弱く、柔らかいものや甘いものを好む傾向がある。

＋ 生活アドバイス ＋

エネルギーが足りず体力が落ちているので、活動は控えめに。激しい運動は避け、きちんと睡眠を取って体力を回復させることが必要。水分不足だが、冷たい飲みものや水の飲み過ぎは内臓を冷やすため、さらに体力を落とす結果になりかねない。

みずみずしい果物や野菜などで穏やかに水分を補給することを心がけて。加湿器などで空気の乾燥を防ぐとともに、化粧水などで肌の保湿もするとさらによい。

F の点数が高いのは…

血行不良型
〈於血《おけつ》〉

「気・血・水」のうち「血」の流れが悪い。体のあちこちで血液が滞り、古い血液が残っている。内臓や肌に塊《かたまり》ができやすい状態で、シミやそばかすなどもあらわれる。

唇の色が紫になったり、手足が冷えているのに顔が熱くぼーっとする「冷えのぼせ」の症状も。肩こりや静《じょう》脈瘤《みゃくりゅう》があらわれることも。

＋ 生活アドバイス ＋

血液が滞っているので冷えは禁物。冷たい飲みものや食べものを避けて体を冷やさないようにするとともに、血行をよくする適度な運動を取り入れる。

ストレッチやジョギングなどはおすすめ。ぬるめの湯にじっくりとつかる入浴法や足湯などを取り入れるのもよい。しょうがやニンニクなど、血行をよくする食べものを積極的に取り入れて。

G の点数が高いのは…

むくみ型
〈水滞《すいたい》〉

全身を巡る「気・血・水」のうち、「水」の巡りが悪く局所的に過剰になっている。本来排出されるはずの余分な水分がたまるため、むくみが生じ、下半身がだるく重いなどの症状が出る。

胃腸の働きも悪い。汗や鼻水が出やすく、元気が出ない。体重の変動が激しく、ちょっとしたことで体重が増減する。

＋ 生活アドバイス ＋

水分の摂り過ぎを防ぐとともに、むくみの原因となる塩分も控える。ストレッチなど適度な運動で体を動かして余分なものの排出を促すとともに、昆布やごぼうなど食物繊維の多い食品を取り入れる。

熱めの風呂に入って汗をかくようにする、温かいお茶を飲むなど、体を冷やさないこともむくみ防止になる。

Hの点数が高いのは…
精神不安型
〈心身不安〉

心配ごとや悩みごとが多く、落ち着かない。思い込みで不安にかられることもある。なかなか寝つけず、睡眠不足。ちょっとしたことで驚きやすかったり、ふと気づくと思考停止状態に陥ることがある。

胸が苦しい、動悸がする、胃が痛いなどの症状があらわれることも。病気ではなくても体調が悪く、元気が出ない。

＋ 生活アドバイス ＋

「あまり考え過ぎない」と言われても難しいので、手芸や庭仕事など、何か無心になれることをするとよい。

生活リズムが乱れがちなので、就寝3時間前までに夕食を済ませるなどの工夫をして規則正しい生活を目指すとよい。食べ過ぎを避けるとともに、食後はコーヒーやコーラなど刺激の強いものは避ける。自然の多い環境で休養を取ることがおすすめ。

自然と調和した暮らしが免疫力を整える

新型コロナウイルス感染症などの影響により、「免疫力」に注目が集まっています。

東洋医学の視点で、免疫力を高める最良の方法は自然のリズムに合わせた生活をすることです。

例えば、朝起きたら太陽の光を浴びるよう心がける。芝生や砂浜などで、お散歩するのもいいかもしれませんね。朝日を浴びることで体の働きが活発になり、免疫システムも活性化するのです。

仕事の都合などで、昼夜逆転の生活を送っている人は、病気になりやすいことが知られています。

また、季節も重要な要素です。冬は日没が早いので、睡眠時間も長い方がいいですし、逆に夏はやや短くても大丈夫です。季節に合った旬の食材をいただくことも、体調が整います。こうした生活習慣を身につけることで、免疫が整い、免疫の暴走を防ぐことができるのです。

そのうえで、一番大事なのは、本書で訴えているように自分の体質に合った暮らしをすること。チェックリストで、自分がＡ～Ｈのどのタイプか分かったら、以降のページに書かれている、自分の体調を最高の状態にできる食材を選び、ぜひウイルスに負けない体をつくってください。

「自然」が不足すると病気になりやすくなる

――体によい食事、公園の散歩などで「自然」が補える

✚「食事」は、自然を取り入れる最短ルート

健康になる方法として、食事をこれだけ重要視しているのには理由があります。もちろん、薬や医者に頼らなくする狙いもありますが、もうひとつの大きな理由としては、自然との触れ合いが関係しています。

詳しくご説明しますが、**体の不調の多くが、自然から遠ざかっていることと関係しています。そこで、自然と触れ合うのが大事になるのですが、その近道であり誰でも手軽にできるのが食事なので、私は食事を強くすすめたい**のです。

肉や魚、野菜、穀物…。私たちが食べるものは、すべて自然から生み出されたもので

す。**私たちの体は、食べものでできているといえます**。また、食べものならば都会でも簡単に入手できます。食べることは、現代人が「自然」を体に取り込む最も効率のよい方法なのです。

ところが今、巷《ちまた》には添加物まみれの食品やジャンクフードがあふれています。このようなものばかり食べていると、カロリー過多、塩分過多の上に栄養バランスが乱れ、病気を招いてしまいます。それだけでなく、人工調味料や合成保存料などの化学薬品を体

に取り込むことにもなります。

健康でいたいのならば、できるだけ「自然」に近い食生活を取り戻すべきなのです。

健康になるには、さまざまなことを考え、実行する必要があります。その中で大きな存在を占めるのが自然と触れ合うことであり、中でも特に大切で実行に移しやすいのが、自分に合った食べものを摂ること、つまり「食事」なのです。

そう考えた私は、食べものの正しい知識を皆さんにお届けしたいと思って、この本を出版することにしました。

異常なしと診断されたのに、何となく「優《すぐ》れない」

そもそも、「健康」とは何でしょう。真っ先に浮かぶのは「病気でないこと」。しかし、病に冒されていないからといって、人は「健康」を感じるものではありません。

たっぷり睡眠を取ったはずなのに、何となく体がだるい。今ひとつ気分がすっきりしない。お腹が重い。胸のあたりが苦しい…。こうした〝不調〟があるとき、私たち日本人は「何となく優れない」という言い方をしますね。

この「優れない」状態で病院に行って検査を受けても、どの数値も正常、何の病気も見つからなかったというのは、よくあることです。

病院の検査が不十分で、隠れている異変を見つけることができなかったのなら、まだわかります。例えば、MRIでないと見つけにくい異変があるのに、CTのみの検査にされた場合です。

問題は、検査はしっかりされたのに、異変が見つからなかった場合。暴飲暴食、生活リズムの乱れがあるならば理由は明らかですが、規則正しく生活し、偏りのない食事をし、睡眠や運動が不足していないのなら、「優れない」原因は、なかなか見えてきませんよね。

＋「優れない」理由は、「人工的な生活」にある

しかし実は、私はその原因のひとつとして有力なものを、とても強く実感しています。

それは、自然との触れ合いが少ないこと。現に、**都会に暮らしている人に、原因不明の「優れない」状態の方が多い**のです。

そこで、なぜ自然が乏しいと「優れなく」なりがちなのかを、考えてみましょう。

現代人の生活様式は、昔と比べてあまりにも大きく変わりました。何億年も遡《さかのぼ》らなくても、わずか２００年前と比べてもその差は明らかです。

２００年前といえば、江戸時代後期。電気がなかったので、人は日の出入りに従って「明るくなったら活動を始め、暗くなったら活動をやめて休む」という生活を送っていたことでしょう。木や紙でつくられた家に住み、土の上を歩き、身の回りには多くの木や草があり、風に乗

って漂うのは草花や家畜の匂い…。自然と一体となって暮らしていたのです。
それが今ではどうでしょう。「田舎暮らし」といっても、「日が落ちたらあたりは外灯もなく漆黒《しっこく》の闇《やみ》に包まれる」という地域は少ないはず。家に入れば、深夜まで煌々《こうこう》と照明がついています。

それだけではありません。歩くときに踏むのはアスファルトやタイル、木は人工的に植えられた街路樹だけ、ビルの間を吹き抜ける風に排気ガスを含んだ空気…。それまで人類が触れたこともない化学物質が、どんどん体内に入り込んできます。

200年前までは自然にたっぷり触れてきた人間が、わずか数百年で急に自然から切り離された存在になってしまったのです。これでは体がおかしくなるのも無理はありません。

✚自然欠乏が危険なのは、太古から指摘されてきたこと

「自然欠乏障害（自然欠乏症候群）」という言葉があります。これは2006年、『あな

たの子どもには自然が足りない』の著者リチャード・ルーブが提唱した造語ですが、意味は読んで字のごとく「自然との触れ合いが不足していること」です。

このことは、医学の父であるヒポクラテスが「自然から遠ざかるほど病気に近づく」という言葉を残したことから考えますと、**はるかに昔から指摘されていること**なのです。自然にあふれた環境に身を置き、人工物を遠ざけ、季節感を肌で感じ、太陽と月が織りなす昼夜のリズムに従って日々を暮らすこと。それが健康的に生きるために必要なことなのです。

ここで、「自然欠乏症」のチェックリストをご紹介しましょう。「いいえ」が多いほど、自分に自然が足りないことを自覚し、生活を見直すことをお薦めします。

①日の出と日没を意識して生活している（日の出前に起床し、日没から4時間以内に消灯している）
②木材など自然素材の住宅に住んでいる
③静寂さや、自然の音などを感じやすい場所で活動している

④自然の香りを実感しやすい環境で活動している
⑤綿や麻、絹など自然素材の衣服を着ていることが多い
⑥携帯電話やパソコンに接することは少ない
⑦長時間の自動車運転や電車通勤（通学）をしていない
⑧主に自然食を摂取し、化学薬品は摂取していない
⑨飲料物は、自然水や有機栽培などでつくられたものである
⑩電気毛布や電子レンジ、電化製品は用いていない
⑪日常的に森林浴、海水浴、日光浴などをしている
⑫化学薬品を塗布《とふ》または吸入していない

なお、**自然を取り入れる方法としては、食事以外にもあります。**最も効果があるのは、自然の中に身を置き、数日間を過ごす休暇。

そんなに時間がないときは、**公園など少しでも自然のある場所に行って深呼吸をし、ストレッチを行うだけでも、十分な効果が得られます。**「都会に住んでいる限り、自然とは縁がないのは当たり前」と諦《あきら》めず、まずはできることから始めることが大切です。

「いつ、どのように食べるか」もとても大切

――「1日3食」にこだわらない。誰と食べるのかも意識したい

＋「朝食は必須」は果たして本当なのか？

食べものの話に戻しますと、**「何を食べるか」と並ぶほど大事なことがあります。それは、「いつ食べるか」ということ。**

では、「健康的な食生活」とは、どのようなものでしょう。真っ先に思い浮かぶのは、「1日3食」。「朝食は抜いてはならない」も挙がるかもしれません。

しかし、これは本当なのでしょうか。「1日3食」は、ごく当たり前の習慣のように思っている人も多くいるようですが、実は長年、日本人は1日2食だったといいます。「1日3食」は、欧米文化が日本に入ってくる頃に導入された、比較的新しい習慣なのです。

朝食を摂らずに活動を始めていた記憶は、私たちの体に刻みつけられています。現代人はそれを無視して、無理矢理「1日3食」にしてしまったともいえます。

食事を自律神経の働きから見てみましょう。人の体調を整える役割を果たす自律神経は、交感神経と副交感神経に分けられます。交感神経は心と体を活動的にさせるための神経で、「闘争と逃走」と呼ばれ、激しい活動をしているときに活性化します。対して

副交感神経は、心と体を落ち着かせて休息させる神経です。

日中は交感神経が優位になり、いわゆる「やる気モード」になります。一方で、副交感神経は睡眠中や入浴中、食事中に働き、心身をリラックス状態へと導きます。

朝食を摂ると副交感神経が優位になるのに、その直後に出勤や通学をすると、体を活動的にするために交感神経を急激に優位にしないといけないわけです。つまり、朝食は無理に摂る必要はないのです。

現に私も、朝食後に通学したことで、途中で気持ち悪くなった経験が長年続きましたが、朝食を抜くようになってからは、体調はよくなり、病気にかかりにくくなりました。重要なのは「食休みがしっかり取れるときに、食事をすること」なのです。

現代人は「お腹が空いたから食べる」という、本来の欲求に従って食べることよりも、「正午になったから食べる」「誘われたから食べる」など、時間やつき合いで食べることが少なくありません。ときには「珍しいものだから」「高いものだから」「もったいないから」など、損得で食べることもあるでしょう。

「交感神経・副交感神経の生体リズムに従って食べる」ことは難しいかもしれませんが、**まずは「お腹が空いたから食べる」ということを心がけてみては**いかがでしょうか。

理想的な食事は、こうした些細《ささい》なことから始められるのです。

✚楽しんで食べることが、健康の秘訣

もうひとつ大事なのが、「楽しんで食べる」ということ。いつ、どんな組み合わせで食べるのかは重要ですが、そのことばかり考えるあまり、食事が修行のようになってしまっては、本末転倒です。

「食べること」は、生命を維持し、健康を増進するためだけのものではありません。それはすべての生きものにとって喜びであるはずです。旬の野菜の美しい色や食欲をそそる香り、そして素材の味…。まずは五感を総動員して食を楽しみましょう。食事が「栄養摂取」になってしまうのは、あまりにも無味乾燥です。

テレビや新聞などを見ながらの「ながら食い」はやめ、料理に集中することも必要で

す。

早食いも避けましょう。「よく噛んで食べる」ことを意識すると、自然に食べ方がゆったりとしてくるはずです。

一緒にテーブルを囲む人との会話を楽しむことも、食事の時間を充実させてくれます。

そして、**何より大切なのは「食べものに対して感謝する」ということ**。食べるということは、他の命をいただくということでもあります。心にこのことを置いて食べものと向き合えば、ながら食いや、流し込むように早食いすることもできなくなるのではないでしょうか。

✚体によい食べもの・体によい食べ方とは

今まで、「自分の体質に合ったものを」「いつ、どんな環境で食べるのかを考えるべき」というお話をしてきました。さらに、次のことも意識すれば、より健康へと近づけることでしょう。

●旬の食べものを選ぶ

旬の作物には、その季節に合った食効があることが見逃せません。例えば、きゅうりやトマトなどの夏野菜には「熱くなった体を冷やす」という効果があり、根菜や小松菜、白菜などの冬野菜は「冷えた体を温める」という効果があります。「季節のものを、季節に合わせて食べる」ことは、体のためにとても意味があることなのです。

それだけでなく、「その季節に採れたものを食べる」ことは、昔から送ってきたごく当たり前で自然な食生活。**「自然を体に取り入れる」という意味でも、旬のものを食べることは、健康を保つために重要なこと**なのです。

ベストなのは「旬のもの・露地物だけを食べる」という食生活ですが、ハウス栽培が常識になった今の時代はかえって難しいのが現状といえるでしょう。しかし、「できるだけ旬のものを食べる」ことを心がけるだけでも、大きな意味があります。

●土地のものを食べる

よく考えると当たり前なのですが、人の体は食べものでできています。つまり、日本人の体は日本の食べものでできているのです。このことがよくあらわれているのが、体型です。

西洋人に比べ、東洋人は胴が長い人が多い傾向があります。これは東洋人が消化に時間がかかる野菜や穀物を中心に食べていたため、肉食が多い西洋人より腸が長くなったことが原因とされています。

その後、食生活が欧米化したとはいえ、日本人が肉を食べ、外国の食べ物を口にするようになってからは、100年と経っていません。**大昔から口にしている日本の食べものと比べると、外国の食べものに体が完全に適応しているとはいえない**のではないでしょうか。

さらに、食べものが持つ独自の「作用」も見落とせません。例えば、熱帯で採れる果物には、体を冷やす作用を持つものが少なくありません。

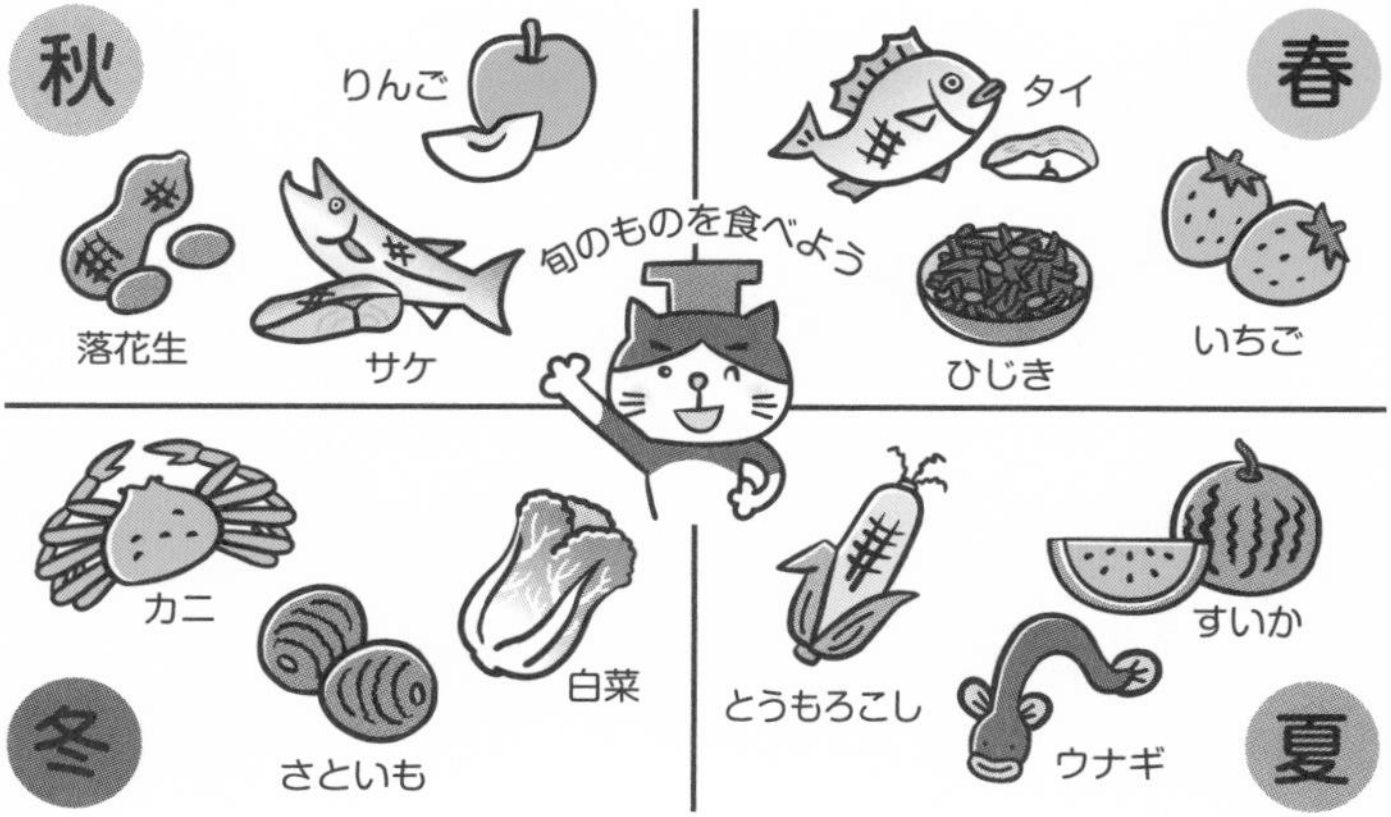

暑い国なら有効ですが、日本で夏以外に食べるのはいかがなものでしょうか。

日本人の体に合うのは、やはり昔から日本でつくられ、先祖の代から口にしてきた食べものなのです。

●いろいろなものを食べる

「納豆」「ニンニク」「キャベツ」など、健康によいとされる食べものを毎日のように食べているという人も、多いのではないでしょうか。「ダイエットのため」「健康のため」という大義名分があったとしても、**特定の食品ばかりを食べることも「偏食」の一種**といえます。

特定のものばかりを食べる弊害は、何より「栄養バランスが崩れる」ことにあります。しかし、それだけではありません。食物アレルギーの心配があります。

食物アレルギーというと、例えば「そば粉アレルギー」のように口にしたとたんに反応が出たり、最悪の場合生命の危険があるものが浮かびますね。このような、すぐに反応が出るアレルギーは「即時型アレルギー」といいます。

これに対して、アレルギー反応の原因となる物質が少しずつ体に蓄積されていき、限界に達したときに反応が出るものを「遅延型アレルギー」といいます。遅延型アレルギーの場合、精密なアレルギー検査をしない限り、何が原因物質となるかわかりません。「バナナ」のようなおなじみの食べ物がアレルギーの原因になることもあります。すなわち、**すべての食べものがアレルギーの原因物質となり得る**ことは、覚えておきましょう。

次の章からはいよいよ、それぞれの食べものについて見ていくことにします。

食べものそのものの特徴をとらえた上で、**どの季節に食べたらよく、どんな体質や症状に効果があるのかを知り、逆にどんな状況では避けるべきかを解説しました。一緒に摂るといい食べものも紹介しました。**

さらに、お薦めのレシピもあるので、いくつか実際につくってみてはいかがでしょうか。どれも準備がほとんどいらないのに、素材そのものの味が楽しめる上、簡単に調理できるものばかりです。

興味のある食べものから調べるのもいいですし、前から順にひとつひとつを見るのもよろしいかと思います。楽しんで眺めてみてください。

[食材の章の読み方]

次のページから始まる『食材の章』では、中国伝統医学に基づく薬膳をベースに食材が持つ効果（食効）、体質ごとの相性、上手な取り入れ方を紹介しています。ここでは、各々の項目の読み取り方とその意味を解説しましたので、日々の食生活に活用してください。

「こんな体質・症状のときにおすすめ／控えめに」

それぞれの食材が体の中でどう働くかによって、「取り入れたほうがいいとき」「控えたほうがいいとき」を解説しています。

※本文中にある記号は、以下の体質を表しています。
（疲）…疲れ型、（食）…食べ過ぎ型、（ス）…ストレス型、
（冷）…冷え型、（乾）…乾燥型、（血）…血行不良型、
（む）…むくみ型、（精）…精神不安型

おすすめレシピ

食材の持つ効果を美味しく取り入れるためのレシピです。なお、体質によって控えたほうがよい「味」があるため、調味料の分量は記していません。調味料の適量は第 11 章の「調味料」が参考になるでしょう。持病がある場合、不安な場合は主治医と相談しましょう。

疲れ型…………△酸味
食べ過ぎ型……△甘味、辛味、油脂類
ストレス型……△油脂類
冷え型…………△酸味
乾燥型…………△塩味　×辛味
血行不良型……△甘味
むくみ型………△甘味、油脂類
精神不安型……△辛味

性質

東洋医学では血液同様、全身を"気"が巡っていると考えます。気の性質には6つあり、体質ごとに相性があります(『ストレス型』『血行不良型』は特に相性がありません)。

昇 気を昇らせ、落ち込みや悲しみ、内臓下垂を癒します。『疲れ型』『冷え型』に合います。

降 食べ過ぎ、のぼせ、イライラなど、気が逆上することで起きる症状を緩和します。『食べ過ぎ型』『むくみ型』『精神不安型』と好相性です。

収 発汗、咳、ゲップ、尿もれ、鼻血など、体の外に何かがもれる症状をとめて改善します。『乾燥型』に合います。

散 体の中にこもる余分な水分や病気の原因を体の外へ発散させる作用があります。特に『むくみ型』に合います。

潤 粘膜や血管を潤し、乾燥肌やのどの痛み、ドライアイ、イライラなどに効果があります。『乾燥型』『精神不安型』に向きます。

乾 余分な水分を排出し、湿気に弱い消化器の機能を改善します。『むくみ型』や『冷え型』でむくむときに適します。

体温への影響

東洋医学では「体を温める食べもの・冷やす食べもの」という捉え方があります。温めも冷やしもしない「平」を中心に、以下の5段階で表します。

熱→温→平→涼→寒

旬

通年出回っている食材も、旬の時期が最も食効が高く、味もよくなります。

体質別の相性

「食材の性質」と「体質」との相性を、◎、○、△、×の4段階で表しています。

影響する臓器

その食材が影響を及ぼす臓器です。

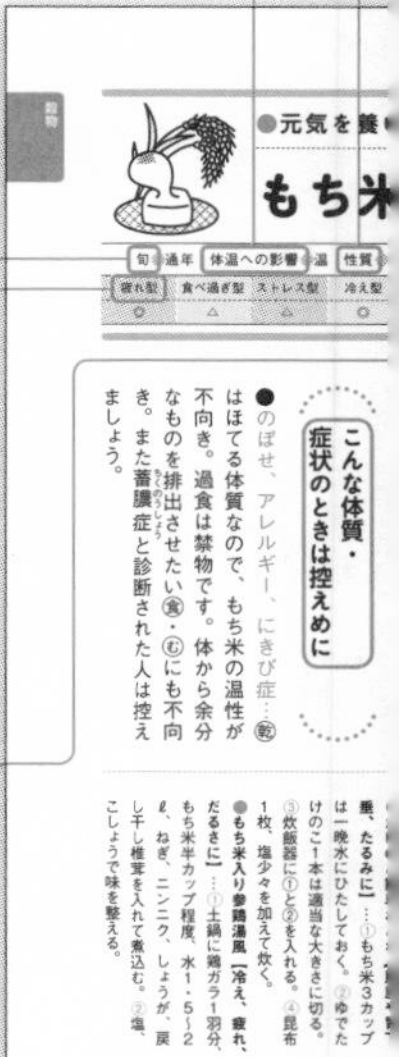
●元気を養
もち米
旬 通年 体温への影響 温 性質
疲れ型 ◎ 食べ過ぎ型 △ ストレス型 △ 冷え型 ◎
こんな体質・症状のときは控えめに
●のぼせ、アレルギー、にきび症…乾はほてる体質なので、もち米の温性が不向き。過食は禁物です。体から余分なものを排出させたい食・むにも不向き。また蓄膿症《ちくのうしょう》と診断された人は控えましょう。
垂、たるみに】…①もち米3カップは一晩水にひたしておく。②ゆでたけのこ1本は適当な大きさに切る。③炊飯器に①と②を入れる。④昆布1枚、塩少々を加えて炊く。
●もち米入り参鶏湯風【冷え、疲れ、だるさに】…①土鍋に鶏ガラ1羽分、もち米半カップ程度、水1・5~2ℓ、ねぎ、ニンニク、しょうが、戻し干し椎茸を入れて煮込む。②塩、こしょうで味を整える。

相性のよい食材

食材の組み合わせは、同じ食効同士による相乗効果で効果を高める組み合わせと、反対の食効の食材を合わせることで、効果が強くなり過ぎないよう抑える組み合わせがあります。

第1章

穀物

●ホルモン分泌、脳の老化防止に

米

旬●通年　体温への影響●平　性質●なし　影響する臓器●脾臓、胃

疲れ型	食べ過ぎ型	ストレス型	冷え型	乾燥型	血行不良型	むくみ型	精神不安型
○	△	○	○	○	○	○	○

こんな体質・症状のときにおすすめ

●多くの体質・症状に…「気」の旧字は〝米〟の字を抱えた「氣」。この文字が表すように、米の発芽力は気の源です。温めも冷えもしない米は誰にでも合う主食。疲労やむくみ、冷えを感じたときは「芽が出るパワー」が強い発芽米がおすすめです。

こんな体質・症状のときは控えめに

●胃もたれ、舌苔《ぜったい》があるとき。糖尿病…舌苔が黄味を帯び、厚くなっていたら食べ過ぎにより消化不良が起きているので、米飯は控えましょう。(食)も白米が負担になりやすいため、控えめに。

相性のよい食材

●**雑穀類、あずき**…気を補うもの同士のため、元気や体温のもとを増やす食効を高めます。焦がす調理法も体を温めます。●**大根の葉、かぶの葉、青菜**…米の消化に必要なビタミンB群を含む野菜を。ビタミンBが豊富なぬか漬けがおすすめです。

おすすめレシピ

●**青菜粥【暴飲暴食が続いたとき】**…①白粥をつくる。②火をとめた粥の鍋に、刻んだお好みの青菜を加えて予熱で火を通し、塩で味を整える。●**ぬかのふりかけ【糖分の摂り過ぎによるだるさに】**…①テフロン加工のフライパンでぬか1／2カップをから煎りする。②ごま大さじ3と塩を合わせ、ご飯にふりかける。※①を市販のふりかけに混ぜてもよい。

●元気を養い、持久力アップ

もち米

旬●通年　体温への影響●温　性質●昇、収、乾　影響する臓器●脾臓、肺、胃

疲れ型	食べ過ぎ型	ストレス型	冷え型	乾燥型	血行不良型	むくみ型	精神不安型
○	△	△	◎	△	○	△	△

こんな体質・症状のときにおすすめ

●冷え、気持ちの落ち込み、虚弱体質の汗かき、脱肛《だっこう》…もち米が持つ体を温め、落ち込んだ気を上らせる性質が症状を緩和します。内から外へもれてしまうものを収める性質があるので、「気」が足りない虚弱体質の汗かきにも。(疲)・(冷)に適します。

こんな体質・症状のときは控えめに

●のぼせ、アレルギー、にきび症…(乾)はほてる体質なので、もち米の温性が不向き。過食は禁物です。体から余分なものを排出させたい(食)・(む)にも不向き。また蓄膿症《ちくのうしょう》と診断された人は控えましょう。

相性のよい食材

●**あずき、きな粉、鶏肉、しょうが、ねぎ**…元気を補うもの同士、食効を高める組み合わせ。やる気を増強したいときに最適の組み合わせです。

●**よもぎ、大根、わさび**…もち米の持つ〈温・昇・収〉と逆の性質を持つ食材を合わせると、効果がちょうどよくなります。

おすすめレシピ

●**たけのこ簡単おこわ【脱肛や胃下垂、たるみに】**…①もち米3カップは一晩水にひたしておく。②ゆでたけのこ1本は適当な大きさに切る。③炊飯器に①と②を入れる。④昆布1枚、塩少々を加えて炊く。

●**もち米入り参鶏湯風【冷え、疲れ、だるさに】**…①土鍋に鶏ガラ1羽分、もち米半カップ程度、水1・5～2ℓ、ねぎ、ニンニク、しょうが、戻し干し椎茸を入れて煮込む。②塩、こしょうで味を整える。

●「精」を増強し老化を防止

玄米

旬●通年　体温への影響●平～温　性質●昇、乾　影響する臓器●肝臓、膵臓、腎臓、胃

疲れ型	食べ過ぎ型	ストレス型	冷え型	乾燥型	血行不良型	むくみ型	精神不安型
○	○	○	○	○	○	○	○

こんな体質・症状のときにおすすめ

●多くの体質・症状に…気の源である米の中でも、種子として撒《ま》くこともできる玄米は発芽力が強く、自然と調和する主食。特に気力不足、便秘、むくみに最適。すべての人に向きますが、虚弱体質で胃が弱い人はよく噛んで。

こんな体質・症状のときは控えめに

●胃弱、もたれ、舌苔《ぜったい》が厚いとき…豊富なぬかが消化しにくく、熱苦しく胃の負担になりがち。乾燥が気になるときや、熱っぽさがあるときも控えたほうが無難です。

相性のよい食材

●**雑穀類、あずき、ごま**…気を補い、元気や体温のもとを増やします。●**青菜、こんにゃく、ひじき、たくあん**…ぬかの強い作用をすっきりと軽減させる。玄米とたくあんは理想的な組み合わせ。

おすすめレシピ

●**玄米たくあんチャーハン【やる気を出したいときに】**…①ちりめんじゃこを菜種油で炒める。②玄米ごはんを①のフライパンに加えて炒める。③刻んだたくあん、すりごまを加えて炒め、塩、こしょう、醤油で味つけする。

●**黒焼き玄米【冷え、むくみ改善、毒出しに】**…①土鍋に玄米1カップを入れて中火にかけ、黒くなるまで煎る。②①を砕いて湯を注ぎ「黒焼き玄米コーヒー」に。または①の土鍋に1カップの水を加えて柔らかくなるまで煮込み、「黒焼き玄米粥」に。

●余分な熱を冷まし、精神を穏やかに

小麦

旬●通年　体温への影響●涼（粉は温）　性質●なし　影響する臓器●心臓、脾臓、腎臓、胃

疲れ型	食べ過ぎ型	ストレス型	冷え型	乾燥型	血行不良型	むくみ型	精神不安型
○	△	○	○	○	○	○	◎

こんな体質・症状のときにおすすめ

●精神不安、不眠、食欲不振、赤ちゃんの夜泣きに…精神が不安定になりやすい春～夏に収穫される小麦は気持ちの高ぶりや不安を鎮《しず》める作用があります。ふすま、胚芽ごと食べれば、さらに食効が増すでしょう。

こんな体質・症状のときは控えめに

●消化不良で舌苔《ぜったい》が厚いとき…小麦は熱を冷ます食効がありますが、粉になると「温」に逆転します。老廃物が多く熱が苦しい(食)は麺類は控えて。冷やしそうめんでどうぞ。砂糖や油脂が加わると「温」の性質がさらに増すので、菓子類は控えましょう。

相性のよい食材

●**レーズン、黒ごま、黒砂糖、カキ、イカ**…血を補い、熱を冷まし鎮静させるという小麦の効果を高めます。レーズンパンは酵母も増やす、優れた組み合わせ。●**青菜**…小麦粉の消化を助けるため、うどんに大根おろし、パンにキャベツのサラダは理想的です。

おすすめレシピ

●**全粒粉のシーフードシチュー【更年期の不安、不眠、夜泣きに】**…①刻んだにんじん、キャベツにひたひたになるくらい水を加え、煮る。②イカ、カキを加える。③火が通ったら牛乳3カップを加える。④大さじ2の全粒粉を半カップの水で溶いて③に加え、とろみをつける。⑤塩、こしょうなどで味を調える。

●消化を助け、食欲増進

大麦

旬●通年　体温への影響●涼　性質●降　影響する臓器●脾臓、胃、膀胱

疲れ型	食べ過ぎ型	ストレス型	冷え型	乾燥型	血行不良型	むくみ型	精神不安型
○	◎	○	△	○	○	○	○

こんな体質・症状のときにおすすめ

●夏バテ、食欲不振…気温とともに体温も上がる夏は、粘りのある米飯が重く感じるようになります。そのため、夏は軽い麦飯がおすすめ。特に胃腸が荒れているときは最適です。

こんな体質・症状のときは控えめに

●冷え、下痢《げり》…さらっとして軽い麦は、体の余分な熱を冷ます働きがあるため、(疲)・(冷)の下痢には不向きです。手足の冷えが気になるときも避けましょう。

相性のよい食材

●**とろろ、青菜、もやし、きのこ類、りんご**…大麦が持つ消化促進、排出の食効が増強する組み合わせ。●**米、卵、ごま**…しつこい性質の米や卵は、大麦の軽い性質と調和する組み合わせ。

おすすめレシピ

●**麦とろご飯薬味添え【消化不良のときに】**…①米の分量1割を目安に押し麦を加え、麦飯を炊く。②ながいもはよく洗い、ひげ根をコンロで焼いてから皮ごとすりおろす。③②にわさびと水で溶いた麦味噌を加え、刻みのり、ねぎを添える。

●**大麦野菜スープ【便秘、イライラに】**…①キャベツ、もやし、きのこ類を食べやすい大きさに刻む。②①を鍋に入れ、大麦大さじ1、だし汁またはスープ1・5ℓを加えて煮る。③火が通ったら塩で味を調える。

●血管を保護し、血圧を安定させる

黒米・赤米

旬●通年　体温への影響●温　性質●昇、収　影響する臓器●脾臓、腎臓、胃

疲れ型	食べ過ぎ型	ストレス型	冷え型	乾燥型	血行不良型	むくみ型	精神不安型
◎	△	○	◎	△	○	○	○

こんな体質・症状のときにおすすめ

●気持ちの落ちこみ、貧血…東洋医学では不眠や不安感は血が少ないあらわれ。黒米は血を増やす食効、赤米には血流を整える食効があるため、症状改善に役立ちます。

こんな体質・症状のときは控えめに

●のぼせ、アレルギー、蓄膿症《ちくのうしょう》、にきび…黒米、赤米はもち米と同様〈温、昇〉の性質が。そのため、炎症のある症状があるときは控えましょう。もち米の一種である黒米・赤米は温性であり、ほてる体質の(乾)には不向き。過食は禁物です。

相性のよい食材

●**あずき、黒ごま**…血が増える食効が高まります。●**米、もち米**…やる気が増強します。●**酢**…酢は黒米や赤米の食効が強くなり過ぎるのを防ぎます。

おすすめレシピ

●**黒米・赤米入り赤飯【元気が出ないとき、落ち込むときに】**…①もち米3カップ、黒米（または赤米）大さじ1、あずき半カップをひと晩水につけておく。②炊飯器の「赤飯モード」で炊く。③ごま塩を振りかける。

●**黒米入りちらし寿司【不安感、イライラ、肌荒れに】**…①米3カップに黒米大さじ1を加え、やや固めに炊く。②合わせ酢大さじ1〜2を振り入れ、よく混ぜる。③お好みの刺身をのせ、青しそ、三つ葉を散らす。

●毛細血管を強化し動脈硬化を防ぐ

そば

旬●通年　体温への影響●涼　性質●降　影響する臓器●脾臓、胃、大腸

疲れ型	食べ過ぎ型	ストレス型	冷え型	乾燥型	血行不良型	むくみ型	精神不安型
△	◎	○	△	○	○	○	○

こんな体質・症状のときにおすすめ

●目の充血、鼻血、のぼせを伴う高血圧、脳出血予防…そばには熱を冷まし、解毒し、気を落ち着かせる食効が。そのため、熱が原因の毛細血管の出血を防ぎます。

こんな体質・症状のときは控えめに

●冷え、胃腸虚弱…そばの性質は涼性で、体内の余分なものの排出を助ける食効があります。冷えを感じるとき、疲れから胃が弱っているときは控えましょう。

相性のよい食材

●**わさび、とろろ**…「気を降ろし腸からの排出を助ける」というそばの食効を助ける組み合わせ。消化がさらによくなります。●**あずき、油**…温性のあずきや油で揚げる調理法を取り入れて、そばの冷やす性質を軽減。

おすすめレシピ

●**せいろそば【胃の炎症やもたれ、目の充血に】**…①そば（10割そばが理想的）一人前はゆで、冷水で冷やす。②そばつゆに大根おろし、またはとろろを加える。③わさびを添える。

●**揚げそばがきのぜんざい【毛細血管強化に】**…①鍋にそば粉半カップと水半カップを入れ、よく溶かす。②熱湯1カップ半を加え、強めの中火にかけて木べラでよく混ぜる。③粘りが出てきたらスプーンなどで取って丸める。④油で揚げる。⑤あずきを甘く煮たぜんざいに入れる。

●体内の毒素を排出しむくみを取る

ハト麦

旬●通年　体温への影響●涼　性質●降　影響する臓器●脾臓、腎臓、肺

疲れ型	食べ過ぎ型	ストレス型	冷え型	乾燥型	血行不良型	むくみ型	精神不安型
△	◎	○	△	○	○	○	○

こんな体質・症状のときにおすすめ

●むくみ、しこり、イボ、肌のトラブル…解毒を助け、老廃物を排出するのでさまざまな〝滞り〟の解消に向きます。そのため、にきびなどもできにくくなります。水分代謝がよくなるので、(む)にも。

こんな体質・症状のときは控えめに

●冷え、妊娠中…体を冷やす食効があるので、(冷)は控えめに。ハト麦茶も温めて飲むのがおすすめです。冷えを伴う(む)にも合いません。〝排出〟の食効があるため、妊娠中は避けましょう。

相性のよい食材

●**とうがん、もやし**…利尿解毒作用を持つ食材を合わせて、食効を増強。
●**白きくらげ**…美肌効果が期待できます。
●**しょうが、あずき**…ハト麦の冷やす効果が行き過ぎないよう、温めます。

おすすめレシピ

●**とうがんのスープ【むくみ、吹き出物、しこりなど肌のトラブルに】**…①一晩水につけて吸水させたハト麦を、とうがんとともに水から煮る。②お好みのだし汁を加え、塩で味を調える。

●**ハト麦粉フライ【ダイエット中、または(食)・(む)に】**…①揚げ物の粉（小麦粉、片栗粉など）に半分量のハト麦の粉を合わせる。②肉、魚、野菜などを通常の手順で揚げる。※ダイエット中や(食)・(む)が揚げ物を食べたいときに、油の排出を助けます。

●胃腸の働きを助け、食欲を促す

とうもろこし

旬●夏　体温への影響●平　性質●降　影響する臓器●胃、大腸、膀胱

疲れ型	食べ過ぎ型	ストレス型	冷え型	乾燥型	血行不良型	むくみ型	精神不安型
△	◎	○	△	○	◎	◎	○

こんな体質・症状のときにおすすめ

●便秘、にきび、水腹《みずばら》、むくみ、高脂血症、糖尿病の予防に…体内の過剰な糖分と脂を代謝し、排出してくれるので、食・むの体質改善に役立ちます。特にひげは、むくみに食効があります。

こんな体質・症状のときは控えめに

●疲れや冷えで胃腸が弱っているとき…食物繊維が多く、余分なものを排出する食効が高いので、疲れや冷えからくる消化不良には不向きです。なめらかで温かいコーンスープならよいでしょう。

相性のよい食材

●**もやし、豆乳、昆布**…同じ利尿解毒作用を持つため、合わせることで食効がさらに増強します。●**エビ、味噌、バター**…温め、気を補う性質を持つ食材を合わせることで、排出する食効を軽減します。

おすすめレシピ

●**とうもろこしの丸ごと炊きこみご飯【糖尿病や高脂血症の体質改善・便秘解消に】**…①とうもろこし1本分の粒を包丁でそぐ。芯は縦に割る。②米3カップ、①、とうもろこしのひげ、芯、昆布1枚を炊飯器に入れて、炊く。③ひげと芯を取り除く。

●**エビと豆腐入り味噌コーンポタージュ【冷えや虚弱体質のむくみの改善、利尿】**…①ゆでたとうもろこしの粒をそぎ取る。②①と豆乳をミキサーにかけてポタージュ状にする。③鍋で温め、エビと豆腐を入れる。④火が通ったら白味噌で味を調える。

第2章

豆類

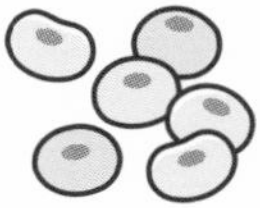

●潤しながら余分な水を排出

大豆

旬●通年　体温への影響●平　性質●なし　影響する臓器●胃、大腸

疲れ型	食べ過ぎ型	ストレス型	冷え型	乾燥型	血行不良型	むくみ型	精神不安型
○	○	○	○	○	◎	○	○

こんな体質・症状のときにおすすめ

●疲れ、消化不良、夏バテの食欲不振、むくみ、水腹《みずばら》、高血圧予防…消化を助け、気を増すので、(疲)・(冷)の食欲不振に向きます。胃の中にたまっている水を吸い取り、(む)に合います。利尿と解毒を行い浄血するので、血流を整えます。

こんな体質・症状のときは控えめに

●消化不良、厚い舌苔《ぜったい》があるとき…「気が詰まり余分なものができやすい」とされるため、(食)は厚い舌苔があるときは注意。大根や水菜とともにサラダで。

相性のよい食材

●**水あめ、にんじん**…甘味が消化器を補い、疲れを取る作用を増強します。●**昆布、ひじき**…むくみを取る作用を高めます。●**トマト、梅、大根、水菜**…過食すると痰が出やすい大豆のくどさを軽減させます。

おすすめレシピ

●**大豆と昆布の煮もの【疲れ、水腹に】**…①大豆1カップ、1㎝角に切った昆布・にんじん・戻した干ししいたけを、しいたけの戻し汁と水を合わせて3カップ半とともに炊飯器に入れ、玄米モードで炊く。②水あめ、醤油を入れて味つけする。

●**大豆ひじきサラダ【夏バテの食欲不振、むくみ、高血圧予防に】**…①大豆水煮、戻して湯通ししたひじき、きゅうり、ちくわの細切りを合わせる。②マヨネーズ、醤油、刻んだごまで味つけする。

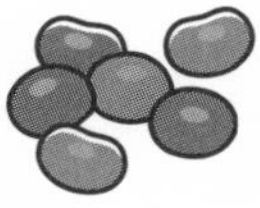

●抗酸化作用で血を滑らかに

黒豆《くろまめ》

旬●通年　体温への影響●平　性質●なし　影響する臓器●肝臓、脾臓、腎臓

疲れ型	食べ過ぎ型	ストレス型	冷え型	乾燥型	血行不良型	むくみ型	精神不安型
◎	△	○	○	○	◎	○	◎

こんな体質・症状のときにおすすめ

●耳鳴り、視力減退、むくみ、腰痛、血行不良、流産予防…東洋医学では「黒」は若返りや生殖に影響する腎臓によい食材を象徴する色。老化防止や安産のためにおすすめです。消化器を助け、水分代謝をよくします。水分不足があれば潤すので、(乾)・(む)にも向きます。

こんな体質・症状のときは控えめに

●消化不良、厚い舌苔《ぜったい》があるとき…大豆と同様にしつこい性質があるので、過食すると胃の負担に。胃の調子が悪いときや消化不良のときは控えめに。(食)は清潔な瓶に煎った黒豆と酢を1：3の割合で漬ける酢黒豆で。

相性のよい食材

●**黒砂糖**…腎臓と消化器を補う働きがさらに高まります。●**肉類、もち米**…気や血を補う肉類と、もれ防止のもち米は、老化防止に理想的な組み合わせです。●**酢、ごぼう**…しつこい性質の黒豆を、酢の酸味、ごぼうの繊維が持つ性質でさっぱりとさせます。

おすすめレシピ

●**黒豆オレ【貧血によるだるさ、不安感、産後のめまいに】**…①黒豆を煎る。②ミキサーなどで①を砕き、煮出す。③お好みの量の黒糖、牛乳を加える。

●**黒豆の鶏肉ごぼう煮【腰の弱り、耳鳴り、不安感、精力減退に】**…①一晩水につけた黒豆をごぼう、鶏の手羽（手羽元、手羽先どちらでも）とともに煮る。②柔らかくなったら塩、または醤油と砂糖などお好みで味を調える。

●毒を分解してむくみを取る

あずき

旬●通年　体温への影響●平　性質●降　影響する臓器●心臓、腎臓、膀胱、小腸

疲れ型	食べ過ぎ型	ストレス型	冷え型	乾燥型	血行不良型	むくみ型	精神不安型
○	△	○	○	△	○	○	○

こんな体質・症状のときにおすすめ

●むくみ、おでき、女性の下血、おりもの…優れた解毒作用を持ち、利尿を促すので女性特有の症状に有効です。また、母乳を補い、出をよくする作用もあります。(冷)・(む)に適しています。

こんな体質・症状のときは控えめに

●乾燥感、ほてり、やせやすい…あずきのデンプンは胸焼けしやすいので、熱感が苦しい(食)には不向き。利尿作用が強く、余分な水分を排出するため、水分不足の人、やせている人にも向きません。熱感を伴いやすい(乾)は、潤す作用のある砂糖を合わせ、冷やしぜんざいやあんみつでどうぞ。

相性のよい食材

●**とうがん、かぼちゃ、コイ**…利尿し、むくみを取る食効を、相乗効果で高めます。●**砂糖、寒天、豆腐、白きくらげ、果物**…潤す食効の強い食材が、体を乾燥させるあずきの食効を調和します。

おすすめレシピ

●**あずきとかぼちゃのいとこ煮【たるみ、水腹、母乳不足に】**…①あずきを柔らかく煮る。②かぼちゃを煮る。③①と②を合わせ、醤油で味つけする。

●**あずきとうがん湯【急に尿が少なくなったとき、むくみ、吹き出物に】**…①皮をつけたままのとうがんを適当な大きさに切る。②鍋に①とあずきを入れ、かぶるくらいの水を入れて煮る。③水を足しながらあずきが柔らかくなるまで煮たら、煮汁をこして飲む。味つけはしない。

●利尿を促し筋肉の疲れをほぐす

緑豆《りょくとう》

旬●通年　体温への影響●涼　性質●降　影響する臓器●心臓、腎臓

疲れ型	食べ過ぎ型	ストレス型	冷え型	乾燥型	血行不良型	むくみ型	精神不安型
○	○	○	△	○	○	◎	○

こんな体質・症状のときにおすすめ

●薬の副作用、アレルギー、暑気あたり、二日酔い、吹き出物…熱を冷まし、毒を分解・排出する食効が、豆類の中で最強。毒や異物、暑さが原因の諸症状を和らげます。(食)・(む)に最適です。

こんな体質・症状のときは控えめに

●冷え、下痢《げり》…体内の熱を冷ます強い食効があるため、(冷)は過食を控えて。緑豆の皮は、解毒し、余分なものを排出する食効が強いので、下痢には慎重に。もち米とともに炊いて、緑豆おこわでどうぞ。

相性のよい食材

●**あずき、麦、豆乳**…解毒の食効を高めます。●**砂糖、卵**…緑豆は余分なものを排出する食効が強いため、これらの気を補う食品を合わせて、効果の行き過ぎを防ぎます。甘味には解毒を助ける作用も。

おすすめレシピ

●**緑豆ぜんざい【暑気あたり、食あたり、薬あたり、酒あたり、アレルギー緩和、精神安定に】**…①吸水させた緑豆1カップを水から煮る。②煮詰まってきたら水を足しながら柔らかくなるまでコトコト煮る。③柔らかくなったら砂糖を加える。夏は冷たくして冷やしぜんざいに。

●**緑豆卵白スープ【口内が苦いとき、ムカムカするときに】**…①吸水させた緑豆1カップを、水を足しながら柔らかくなるまで煮る。②だし汁、塩を加えて味つけし、卵白を流し入れる。

●糖尿病、肥満の改善に

いんげん豆

旬●夏　体温への影響●平　性質●特になし　影響する臓器●脾臓、胃

疲れ型	食べ過ぎ型	ストレス型	冷え型	乾燥型	血行不良型	むくみ型	精神不安型
◎	△	○	○	○	○	○	○

こんな体質・症状のときにおすすめ

●水分過剰による疲れやだるさ、水腹《みずばら》、下痢《げり》、おりもの…これらの症状は、胃の中に余分な水分がたまっていることが一因。いんげん豆は過剰な水を吸い取り、排出してくれるので、(疲)・(冷)・(む)に適します。

こんな体質・症状のときは控えめに

●舌苔《ぜったい》が多いときの消化不良、お腹の張り…デンプン質がくどいため、余分な食の毒がたまっているとき、ガスがたまりやすいときは不向きです。ただし、さやいんげんは問題ありません。

相性のよい食材

●とうもろこし、やまいも…胃腸を助け、気を補う食効を高めます。●トマト、レタス、酢、昆布…いんげん豆のくどい性質をさっぱりさせます。

おすすめレシピ

●**さやいんげんのやまいも焼き【疲れ、だるさ、おりもの、下痢、糖尿病予防に】**…①ゆでたさやいんげんを一口大に切る。②やまいも100gをすりおろし、①、小麦粉大さじ1を混ぜる。③フライパンに油を敷き、②を流し入れ両面を焼く。④カツオブシをのせ、しょうが醤油を添える。

●**いんげん豆のトマトスープ【夏バテに】**…①いんげん豆を一晩吸水させ、たっぷりの水で煮る。②柔らかくなったらだし汁を入れ、塩で味を調える。③くし形に切ったトマトを加え、盛りつけの最後に塩昆布をのせる。冷やしても美味。

●解毒利尿作用で気を補う

えんどう豆

旬●夏　体温への影響●平　性質●なし　影響する臓器●脾臓、胃

疲れ型	食べ過ぎ型	ストレス型	冷え型	乾燥型	血行不良型	むくみ型	精神不安型
◎	△	○	○	○	○	○	○

こんな体質・症状のときにおすすめ

●むくみ、水腹《みずばら》、高血圧予防、こむら返り…体の余分な熱を下げ、水分を排出する食効があるため、夏バテの水腹に向きます。炎症や凝りを緩和する食効は、母乳の出が悪いときもおすすめです。

こんな体質・症状のときは控えめに

●舌苔《ぜったい》が多いときの消化不良、お腹の張り…乾物のえんどう豆は消化しにくいため、食の毒がたまっているとき、ガスがたまりやすいときは控えましょう。

相性のよい食材

●**豆乳、大麦、豆腐、じゃがいも**…余分な熱を冷まし、不要なものを排出する作用が高まる組み合わせです。

●**大麦**…消化を助け、お腹の不快な張りを解消します。

おすすめレシピ

●**えんどう豆のポテトサラダ【夏バテ、むくみ、だるさ、下痢に】**…①ゆでたえんどう豆（グリーンピースでも）大さじ3に、ゆでてつぶしたじゃがいも2個分を混ぜ合わせる。②塩で味つけする。

●**えんどうやっこ【高血圧、糖尿病、便秘、高脂血症の緩和に】**…①ゆでたえんどう豆（スナップエンドウでも）を食べやすい大きさに刻み、水切りした豆腐にのせる。②カツオブシや白ごま、醤油をかける。

●疲労回復、むくみの緩和に

そら豆

旬●夏　体温への影響●平　性質●収　影響する臓器●脾臓、腎臓

疲れ型	食べ過ぎ型	ストレス型	冷え型	乾燥型	血行不良型	むくみ型	精神不安型
○	△	○	△	○	○	○	○

こんな体質・症状のときにおすすめ

●食欲不振、水分の摂り過ぎ、疲れ…

体内のエネルギー代謝を上げ、気を増やす働きがあるため、体の中が停滞している症状に効果があります。

こんな体質・症状のときは控えめに

●舌苔《ぜったい》が多い消化不良、お腹の張り…

ねっとりしたデンプンの多い豆類は、お腹が張っているときは不向き。また、お腹にガスがたまるのを増長させる作用もあります。(食)は消化を助ける青菜と、(ス)は気を巡らせるゆず塩、山椒《さんしょう》塩とともにどうぞ。

相性のよい食材

●**エビ、豆腐、ニンニク**…気を補うとともに泌尿器、腎臓、消化器、胃腸の働きを助け、水分代謝を活発にします。●**たけのこ、酢、レモン**…デンプンのくどさを、たけのこの繊維や酢、レモンがさっぱりとさせます。

おすすめレシピ

●**豆腐のそら豆あんかけ【疲れ、むくみ、食欲不振に】**…①そら豆はさやごとトースターでじっくり焼いておく。②塩で味つけしただし汁に豆腐とエビを加え、火が通ったらさやから出した①を加え、水溶き片栗粉でとろみをつける。

●**揚げそら豆のニンニク風味【悪酔いを防ぐおつまみに】**…①さやから取り出したそら豆を菜種油で揚げる。②①に塩、ニンニクパウダーを振り、酢かレモン汁をかける。

第3章

種実類

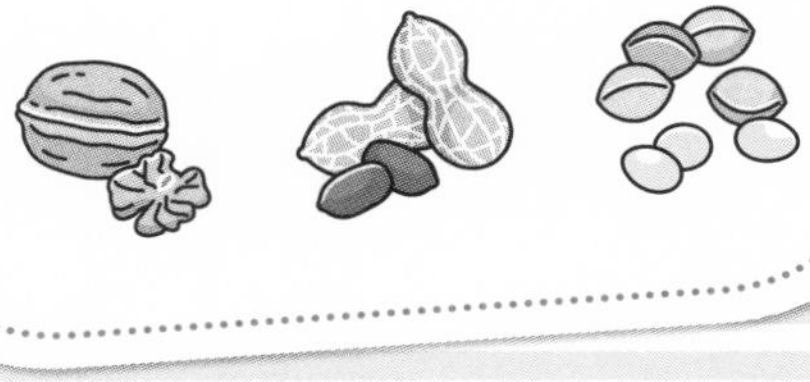

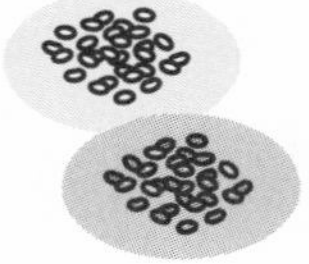

●精を増やし老化を防止する

黒ごま・白ごま

旬●通年　体温への影響●平　性質●潤　影響する臓器●肝臓、腎臓、大腸

疲れ型	食べ過ぎ型	ストレス型	冷え型	乾燥型	血行不良型	むくみ型	精神不安型
○	△	○	○	○	○	△	○

こんな体質・症状のときにおすすめ

●老化による足腰の弱り、耳鳴り、脱毛、白髪、コロコロ便、皮膚《ひふ》の乾燥…黒ごまの黒は老化を司る腎を補う色なので、血を補い、(疲)・(冷)の老化による症状に有効です。白ごまの白は肺や大腸・皮膚につながる色。(乾)のコロコロ便や乾燥肌に適します。

こんな体質・症状のときは控えめに

●下痢《げり》、舌苔《ぜったい》が多い消化不良…繊維が多いので下痢の傾向がある方は過食しないようにしましょう。摂るときはすりごまにして。豊富な脂がくどいので、(食)・(む)はもたれるときは少なめに。海藻や青菜と合わせましょう。

相性のよい食材

●**卵、豆乳、鶏肉**…気、血、精を補う作用を高めます。●**青菜**…血を増やし、くどさを和らげます。●**わさび、葛粉、きゅうり、酢**…消化を助け、くどさを軽減します。

おすすめレシピ

●**ごまドレッシング【美髪、コロコロ便に】**…①黒ごま・マヨネーズ各大さじ3、ヨーグルト・豆乳各大さじ2、白味噌小さじ1、砂糖大さじ1、塩少々を合わせる。②野菜や肉にかけて。

●**簡単ごま豆腐【老化】**…①練りごま40g、葛粉（片栗粉でも）50g、水400ccを鍋に入れよく混ぜる。②最初中火、固まり始めたら弱火で加熱しながら、10分ほど練る。③火をとめ、水で濡らした容器に入れて冷やし固める。④体質に合った薬味（第11章参照）と醤油を添える。

●腎臓を養い、足腰を強くする

栗

旬●秋　体温への影響●温　性質●収　影響する臓器●脾臓、胃、腎臓

疲れ型	食べ過ぎ型	ストレス型	冷え型	乾燥型	血行不良型	むくみ型	精神不安型
◎	△	○	◎	○	◎	○	○

こんな体質・症状のときにおすすめ

●腰や膝の弱り、胃弱、冷えによる下痢《げり》、頻尿、尿失禁、咳《せき》、胃下垂…黒い渋皮は老化防止に働き、渋みが下痢、尿、咳など、もれ出るものを留めます。果肉は胃の中の水を吸い、胃を元気にします。このため(疲)・(む)に多い胃下垂などの内臓下垂にも適します。

こんな体質・症状のときは控えめに

●食あたりの下痢、舌苔《ぜったい》が多い消化不良…もれるのをとめる食効があるので、排出させたい食あたりには不向き。くどい性質なので、排出したい(食)・(む)は、干ししいたけや昆布と合わせて。

相性のよい食材

●**もち米、ぎんなん**…もれを防止する力を高めます。●**さつまいも、鶏肉**…胃腸を元気にする食効を高めます。●**干ししいたけ、ゆず、昆布、クチナシ**…温める性質を和らげます。

おすすめレシピ

●**栗ぎんなんおこわ【頻尿、夜尿症、尿もれ、下痢、咳に】**…①渋皮つき栗8個、渋皮つきぎんなん10個を入れて、吸水させたもち米2合を炊く。②ごま塩を振る。

●**栗と手羽元の煮もの【老化防止、腰や膝の弱りに】**…①鍋に鶏の手羽元、渋皮つき栗、れんこん、戻した干ししいたけを入れ、かぶるくらい水を入れて煮る。②柔らかくなったら醤油、みりんで味を調える。③火をとめて1〜2時間置き、味をしみ込ませる。

●咳《せき》を鎮め、気を補う

ぎんなん

旬●秋　体温への影響●平　性質●収　影響する臓器●脾臓、肺、腎臓

疲れ型	食べ過ぎ型	ストレス型	冷え型	乾燥型	血行不良型	むくみ型	精神不安型
○	○	○	○	△	○	○	○

こんな体質・症状のときにおすすめ

●乾いた咳《せき》、夜尿症《やにょうしょう》、頻尿、おりもの…古代種・いちょうの実は、精をつける作用に優れます。独特の渋みが、㊢・㊉の出過ぎて困る症状を改善します。薄皮に食効があるため、薄皮ごと摂り入れましょう。

こんな体質・症状のときは控えめに

●風邪のひき始め、幼児、妊婦…ぞくぞくする風邪のひき始めなど、発散して治したいときには不向き。また弱い毒を持つので、子どもや妊婦は食べるのを控えましょう。子どもの夜尿症には5歳、5個から。6歳までは年齢の数だけにして。

相性のよい食材

●**卵、もち米、エビ**…気を補い、力をつける作用を高めます。●**れんこん、栗**…もれるものを引きとめる働きを高めます。●**ぎんなんの薄皮**…ぎんなんの毒性を和らげます。

おすすめレシピ

●**ぎんなんとエビのれんこんおろし蒸し【から咳、老化防止に】**…①茶碗蒸しの器にぎんなん3個、エビ中1個を入れ、塩少々を振る。②おろしたれんこんに泡立てた卵白、塩少々を加え混ぜる。③②を①にのせ、蒸し器で蒸す。

●**焼きぎんなん【頻尿、夜尿症、おりものに】**…①殻つきぎんなんにペンチなどでひびを入れる。②フライパンに①を入れ、たえずゆすりながら弱火で10分ほど煎る。③殻を取り、塩少々を振る。

●乾燥を潤し、スタミナをつける

落花生《らっかせい》

旬●秋　体温への影響●平　性質●潤　影響する臓器●脾臓、肺

疲れ型	食べ過ぎ型	ストレス型	冷え型	乾燥型	血行不良型	むくみ型	精神不安型
○	△	○	○	○	○	△	○

こんな体質・症状のときにおすすめ

●コロコロ便、乾燥肌、乾燥した咳《せき》、下肢の内出血、母乳不足、健忘《けんぼう》…豊富な植物油脂が乾燥による症状を潤し、脳の血流を改善します。赤い薄皮は、油脂の酸化防止、止血、増血に働き、母乳の出をよくします。コクのある甘い味で、(疲)・(冷)・(乾)に不足している気や潤いを補います。

こんな体質・症状のときは控えめに

●鼻血、舌苔《ぜったい》が多い消化不良…多食すると、のぼせるため、鼻血が出やすい方は注意。くどい性質を持つので、舌苔が多い(食)・(む)は控えて。繊維質と合わせましょう。

相性のよい食材

●**ほうれんそう、にんじん、小松菜、黒ごま**…血を補う作用を高めます。●**ごま、油脂、砂糖**…潤す作用を高めます。●**大根、酢、味噌、ゆず**…落花生のくどさを抑え、血や気を補う性質の行き過ぎを防ぎます。

おすすめレシピ

●**ほうれんそうの落花生和え【乾燥肌、コロコロ便、母乳不足に】**…①落花生一つかみ分をすり鉢に入れてする。②ゆでたほうれんそう一束分を①に入れ、醤油、砂糖で和える。

●**落花生のなます【乾燥した咳、声枯れに】**…①大根1／2本、にんじん1本を細切りにし、少量の塩でもみ、甘酢で和える。②すった落花生1カップ分を①と合わせる。※(ス)に合わせるには、ゆず皮を加えるとなおよい。

●便通をよくし、脳の働きを改善

くるみ

旬●秋　体温への影響●温　性質●潤　影響する臓器●腎臓、肺、大腸

疲れ型	食べ過ぎ型	ストレス型	冷え型	乾燥型	血行不良型	むくみ型	精神不安型
○	△	○	◎	△	○	△	△

こんな体質・症状のときにおすすめ

●老化、健忘《けんぼう》、うつ、精力減退、冷え、腰のだるさ、便秘…殻と実の形状が脳に相似していることからも、脳によい食材として用いられています。生殖や腰、老化につながる腎機能を補う力に優れ、精をつけて腰を強くします。温め、気を補うので、㊢・㊦の落ち込んだ体に合います。

こんな体質・症状のときは控えめに

●鼻血、舌苔《ぜったい》が多い消化不良…温める力が強いため、㊦は避けて。くどい性質が、舌苔の多い㊤・㊧にも合いません。ごぼうなど根菜と合わせて。

相性のよい食材

●**牛肉、いんげん豆、黒砂糖**…気や精を補い、温める作用を高めます。●**ごま、ナッツ類**…潤し、便通をよくする作用を高めます。●**青魚、たまねぎ**…血流をよくし、脳の活動を高めます。●**酢、ごぼう**…温め、気や精を補う性質の行き過ぎを防ぎます。

おすすめレシピ

●**牛肉くるみ黒糖炒め【精力減退、乾燥肌、冷え、白髪に】**…①くるみ一握りを煎っておく。②牛肉500gを炒める。③①と②を合わせ、酒、醤油、黒砂糖ですき焼き風に調味する。

●**くるみ寿司【脳の老化、健忘、高脂血症の予防に】**…①酢じめにしたサンマやコハダをそぎ切りにする。②寿司飯に煎って砕いたくるみを混ぜ合わせる。③②の上に①と細切りにしたしそを盛り、わさび醤油でいただく。

第4章

芋類

●食物繊維が腸内の善玉菌を増やす

さつまいも

旬●秋　体温への影響●平　性質●降　影響する臓器●脾臓、腎臓

疲れ型	食べ過ぎ型	ストレス型	冷え型	乾燥型	血行不良型	むくみ型	精神不安型
◎	△	△	◎	○	○	○	○

こんな体質・症状のときにおすすめ

●水腹《みずばら》、無気力、むくみ、胃弱、便秘…豊富な繊維が胃の中の余分な水を吸い取るので、消化器が元気になり、体に水をためやすい(疲)・(冷)・(む)の体の水はけがよくなります。水を吸った繊維が便通を整えます。

こんな体質・症状のときは控えめに

●ストレスで気が巡らず、お腹が張るとき…さつまいものデンプンは(ス)のガスの原料になってしまうので、緊張続きでお腹が張りやすいときは避けましょう。気を巡らせるレモン煮か、ゆず皮を散らすとよいでしょう。

相性のよい食材

●**油揚げ、ごま**…胃内の余分な水分を吸い取り、元気をつくる作用を高めます。●**ゆず、レモン、シナモン**…気を巡らせて、ストレスによるお腹の張りを解消します。

おすすめレシピ

●**大学いも【水腹による冷え、疲れ、むくみ】**…①さつまいも1本を乱切りにし、素揚げにする。②みりん・砂糖各大さじ2に醤油小さじ1を煮詰め、①にからめる。③煎りごまを振る。※さつまいもの皮は胸焼けを防ぐため、必ず皮ごと調理する。

●**さつまいもとがんもどきのゆず塩あん【便秘、胃弱に】**…①さつまいも1本とがんもどきは食べやすい大きさに切る。②①をだし汁で煮る。③柔らかくなったら塩で味を調え、水溶き片栗粉でとろみをつける。④ゆず皮を散らす。

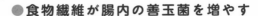

●胃、十二指腸の粘膜を守る

じゃがいも

旬●秋　体温への影響●平　性質●降　影響する臓器●胃、大腸、腎臓

疲れ型	食べ過ぎ型	ストレス型	冷え型	乾燥型	血行不良型	むくみ型	精神不安型
○	△	△	○	○	○	○	○

こんな体質・症状のときにおすすめ

●水腹《みずばら》、胃弱、消化器の炎症…デンプンや繊維が胃の中の余分な水を吸い取り、消化器が気を作りやすい状態にするので、気が少ない(疲)・(冷)に合います。生食すると、消化器の粘膜を保護し炎症を和らげます。

こんな体質・症状のときは控えめに

●消化不良、お腹の張り、ガスのたまり…デンプンがガスの原料になってしまうので、(ス)は、緊張続きでお腹が張りやすいときは不向き。気を巡らせるパセリやバジル、しそと合わせましょう。(食)はクレソンとともに。

相性のよい食材

●**卵、たまねぎ**…胃内の余分な水分を吸い取り、元気をつくる作用を高めます。●**レモン、パセリ、しそ**…さっぱりさせて気を巡らせ、お腹の張りを解消します。●**きゅうり**…デンプンの重さを軽減します。

おすすめレシピ

●**ポテトサラダ【水腹、冷え、疲れ、むくみに】**…①じゃがいも3個は皮をむき、柔らかくなるまでゆでる。②たまねぎ1／4個はスライスし、塩を降っておく。③①をつぶし、②、ゆで卵を細かく刻んで混ぜる。④マヨネーズ、レモン汁、塩で味を調える。

●**じゃがいものおろしスープ【胃痛、胸焼けに】**…①キャベツ3枚、かぶ2個を食べやすい大きさに切り、だし汁で煮る。②塩で味を調えて火をとめ、すりおろしたじゃがいも1個を加える。半生の状態で飲む。

●胃の粘膜、肝臓を守る

さといも

旬●晩秋～冬　体温への影響●平　性質●降、潤　影響する臓器●肝臓、脾臓

疲れ型	食べ過ぎ型	ストレス型	冷え型	乾燥型	血行不良型	むくみ型	精神不安型
○	△（外用◎）	△（外用◎）	○	○	○	△（外用○）	○

こんな体質・症状のときにおすすめ

●胃痛、イボ、しこり、おでき、産後の胸の腫《は》れや痛み…ネバネバが胃腸の粘膜を保護し、気を補い、精をつけます。胃が弱く気がつくれない(疲)・(冷)に向きます。外用（塗布）するとしこりを柔らかくする作用があり、老廃物や詰まる症状が頻出する(食)・(ス)・(む)に適します。

こんな体質・症状のときは控えめに

●ストレスでお腹が張るとき、むくみ…(ス)が緊張続きでお腹が張るときは不向き。ゆず味噌を添えましょう。水を体内に留めるので、(む)も控えめに。

相性のよい食材

●**イカ、昆布**…肝臓の機能を助け、堅いものを溶かす食効を高めます。

●**ゆず、酢味噌**…気を巡らせ、お腹が張る症状を解消します。

おすすめレシピ

●**イカとさといものゆず味噌かけ【消化器の粘膜の炎症、疲れに】**…①さといも5個は皮ごとゆでる。②沸騰しただし汁1カップに、食べやすい大きさに切ったイカ1杯を入れ弱火で加熱する。③皮をむいた①を合わせみりん、塩少々で味を調えて、汁がなくなるまで煮る。④ゆず味噌をかける。

●**さといものすりおろし【イボ、打ち身、産後の胸の腫れや痛み、乳がん予防】**…①よく洗ったさといもを皮ごとすりおろし、同量の小麦粉と混ぜる。②イボや腫れ物、しこり、産後の乳房に直接塗布する。

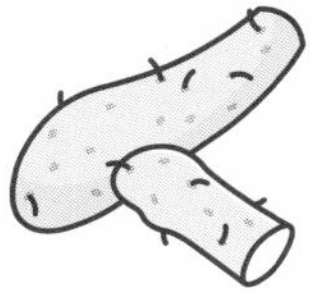

生殖や若さを司る腎機能を強化

やまいも

旬●秋〜冬　体温への影響●平　性質●潤　影響する臓器●膵臓、肺、腎臓

疲れ型	食べ過ぎ型	ストレス型	冷え型	乾燥型	血行不良型	むくみ型	精神不安型
◎	○	○	○	◎	○	○	◎

こんな体質・症状のときにおすすめ

●五感の衰え、尿もれ、消化不良、不安感、気管支の炎症、肌荒れ…ネバネバが老化を防止し精をつけます。すべての体質の老化現象や疲れによる症状にぴったり。生食は消化を助け、気持ちを落ち着かせます。皮膚《ひふ》や気管支を潤すので、(乾)に多い炎症を改善します。

こんな体質・症状のときは控えめに

●ガスが出やすくお腹が張るとき…どの体質にも向きますが、デンプンがガスの原料になるため、ストレスでお腹が張りやすいときは避けて。気を巡らせる、三つ葉やせり、ねぎ、消化促進のわさびと合わせましょう。

相性のよい食材

●**卵、ねぎ、ごま、マグロ、醤油**…精をつけるもの同士の組み合わせ。老化防止や肺の強化の食効を高めます。●**麦、わさび、味噌**…消化を促進する食効を高め、ガスのもとを減らします。

おすすめレシピ

●**やまいもの白味噌仕立て【消化不良、糖尿病予防、気管支の炎症に】**…①やまいもはひげをコンロで焼き、皮ごとすり鉢ですりおろす。②①にだし汁で溶いた白味噌を加え、よく混ぜる。③冷えが気になるとき、むくむときはねぎを、ほてるとき、舌苔が多いときはわさびを添える。

●**やまいものごま和え【五感の衰え、尿もれ、白髪、肌荒れに】**…①やまいもはひげを焼き皮ごと千切りにする。②醤油にすった黒ごま、みりん少々を加え和える。

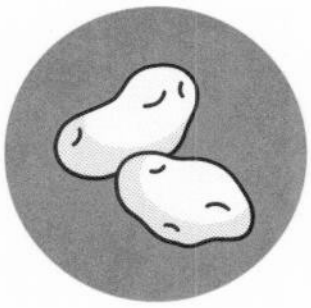
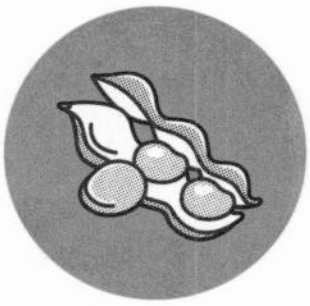

第5章

野菜・きのこ類

●胃腸をいたわる優しい野菜

キャベツ

旬●春、初冬　体温への影響●平　性質●なし　影響する臓器●胃、小腸

疲れ型	食べ過ぎ型	ストレス型	冷え型	乾燥型	血行不良型	むくみ型	精神不安型
○	◎	○	○	○	○	◎	○

こんな体質・症状のときにおすすめ

●胃が張って痛むとき、胃潰瘍《いかいよう》の予防、食後の眠気、消化不良、むくみ…青菜特有の消化促進作用が、胃を健やかにし、潰瘍《かいよう》を抑えようとします。たまった老廃物でしこりをつくりやすい(食)・(む)に合います。食後の胃にいつまでも食べものが残っていて眠くなるときにも有効。胃弱で気がつくりにくい(疲)・(冷)にも向きます。

こんな体質・症状のときは控えめに

●冷え…生食が有効なキャベツですが、体を冷やす作用があるため、(冷)で胃腸が冷えているときは生食は慎重に。しょうがを添え、塩もみにして。

相性のよい食材

●**りんご、マスタード、味噌**…消化促進を強めます。●**干しエビ**…筋骨の強化作用を高めます。●**しょうが、ゆず皮、みかん皮**…胃を冷やす作用が行き過ぎないように、胃腸を温めるものを組み合わせます。

おすすめレシピ

●**キャベツとりんごのスムージー【消化不良、胃潰瘍・胃がん予防に】**…①キャベツ3枚とりんご1個を適当な大きさに切る。②ミキサーに①と適量の水、てんさい糖を適量入れてジュースをつくる。

●**キャベツの浅漬けみかん皮マスタード風味【消化不良、食後の眠気に】**…①千切りにしたキャベツ5枚分をビニール袋に入れる。②粒マスタード・塩・白だしをお好みの量、刻んだみかん皮少々を①に入れてもむ。③(冷)は②にしょうがのしぼり汁と湯を加えてスープにしてもよい。

●血液をきれいにしイライラを消す

白菜《はくさい》

旬●冬　体温への影響●涼　性質●降　影響する臓器●肺、胃、脾臓

疲れ型	食べ過ぎ型	ストレス型	冷え型	乾燥型	血行不良型	むくみ型	精神不安型
△	◎	○	△	○	○	○	○

こんな体質・症状のときにおすすめ

●舌苔《ぜったい》が多い消化不良、むくみ、痰《たん》、便秘、イライラ…アブラナ科特有の消化促進作用が、胃を健やかにします。結果として水分排出を助けるのでむくみが解消。老廃物の除去・浄血にも働き、(食)・(む)に適します。熱を冷ますので(乾)に向き、乾燥した咳《せき》、興奮を改善します。

こんな体質・症状のときは控えめに

●冷え、疲れ、下痢《げり》…繊維が多く、体を冷やし余分なものを捨てる作用があるため、(疲)・(冷)・冷えを伴う(む)は合いません。特に下痢するときは生食は避けて。加熱し、しょうがとともにどうぞ。

相性のよい食材

●**豆腐**、**酢**…浄血作用を高めます。●**干ししいたけ**、**たけのこ**…水分排出、排便効果を高めます。●**しょうが**、**ニンニク**、**豚肉**…白菜の胃を冷やす作用が行き過ぎないように、胃腸を温めるものと組み合わせます。

おすすめレシピ

●**白菜の酢炒め【便秘、大腸がんの予防に】**…①有効成分が多い根元つき白菜5枚分と、戻した干ししいたけ3個、たけのこ100gを適当な大きさに切り、炒める。②酢・めんつゆ各大さじ1で味を調える。

●**白鍋【イライラ、便秘、肌荒れ、黄色い痰の出る咳、乾燥した咳に】**…①昆布を下に敷いた鍋に白菜、豆腐を入れ、煮る。②ユズぽん酢などお好みのたれで。

●胃と腎臓をいたわり、抗がんに働く

ブロッコリー・カリフラワー

旬●冬　体温への影響●平　性質●潤　影響する臓器●脾臓、腎臓

疲れ型	食べ過ぎ型	ストレス型	冷え型	乾燥型	血行不良型	むくみ型	精神不安型
○	○	○	△	○	○	○	○

こんな体質・症状のときにおすすめ

●胃弱、疲れ、虚弱体質、精力不足、糖尿病・がん予防…胃腸に優しく、五臓を補うので(疲)に最適。若返りや生殖に関係する腎を助け、体を丈夫にします。浄血し、潤す作用は、(食)や(乾)の熱による興奮を緩和し、熱型体質の糖尿病・がん予防に働きます。

こんな体質・症状のときは控えめに

●冷え・繊維による下痢《げり》…気を補いつつ、消化を助けるので、ほとんどの体質に合います。しかし、繊維が豊富なので、(冷)の胃腸の冷えが原因の下痢のときは控えめに。

相性のよい食材

●**エビ、イカ、貝**…肝腎機能を助け、体力をつける食効を高めます。●**しょうが、卵**…胃腸を温めるものと組み合わせます。

おすすめレシピ

●**ブロッコリーとカリフラワーのアサリ炒め【肝臓の疲れ、ストレスに】**…①ブロッコリーとカリフラワーを適当な大きさに切る。有効成分が多い茎も加えて。②①をさっと炒めたあと、アサリ、酒を入れて蒸し煮にし、塩で味を調える。

●**かきたま汁【体力増強、胃腸の疲れに】**…①沸騰しただし汁に水溶き片栗粉でとろみをつけ、水を入れて軽くした溶き卵をまわし入れる。②塩・みりんで味を調え、ブロッコリーとカリフラワーのみじん切り、しょうが汁をしぼる。

●熱を冷まし、安心させる

チンゲン菜

旬●春～初夏　体温への影響●涼　性質●降　影響する臓器●肝臓、肺、胃、大腸

疲れ型	食べ過ぎ型	ストレス型	冷え型	乾燥型	血行不良型	むくみ型	精神不安型
△	◎	○	△	○	◎	○	◎

こんな体質・症状のときにおすすめ

●胸焼け、イライラ、興奮、精神不安、ドロドロ血、産後の血行不良…消化器内の老廃物の排出を促す作用が強く、浄血します。熱を冷ますので、炎症、興奮、(血)の熱感があるときに有効。(ス)・(精)のイライラを鎮《しず》め、安心させます。

こんな体質・症状のときは控えめに

●冷え・疲れ…繊維が多く、冷やし、排出する食効が強いため、温めて気を補いたい(疲)・(冷)には向きません。少量の油で炒め、肉類・しょうがを合わせましょう。

相性のよい食材

●**イカ、貝、豆乳**…肝腎機能を助け、きれいな血をつくる食効を高めます。

●**ごま、油、ニンニク、しょうが**…冷やし、余分なものを排出する作用が行き過ぎないように温めます。

おすすめレシピ

●**チンゲン菜のニンニク醤油【血行不良に】**…①ニンニク1片をみじん切りにして醤油大さじ1と混ぜ合わせる。②チンゲン菜を切らずに株ごとさっと熱湯にくぐらせ、食べやすい大きさに切って皿に盛りつける。③②の上に①をかけ、熱したごま油を回しかける。

●**チンゲン菜と貝のスープ【胸焼け、不安、興奮、ドロドロ血に】**…①お好みの貝を水からゆでる。②①が沸騰したら切ったチンゲン菜1株、豆乳1カップを加え、塩で味を調える。

●熱を冷まし、胸焼けを緩和

小松菜

旬●春、冬　体温への影響●涼　性質●降　影響する臓器●胃、大腸

疲れ型	食べ過ぎ型	ストレス型	冷え型	乾燥型	血行不良型	むくみ型	精神不安型
△	◎	○	△	◎	○	○	◎

こんな体質・症状のときにおすすめ

●胸焼け、イライラ、興奮、精神不安、便秘、高血圧予防…消化器内にある老廃物の排出を促す作用が強いので、(食)・(む)に最適。その一方で血と水を増やして補いながら消炎し、落ち着かせるので、(ス)のイライラ、(乾)・(精)の不安や興奮に向きます。

こんな体質・症状のときは控えめに

●エネルギー不足による冷え、疲れ…繊維が多く、冷やし、余分なものを排出する食効が強いため、(疲)・(冷)には向きません。肉魚類や油揚げと合わせ、温かいうちにどうぞ。

相性のよい食材

●**豆腐、黒ごま、カキ、牛乳、カツオブシ**…きれいな血と体液を増やし、気持ちを落ち着かせる食効を高めます。●**油、しょうが、ニンニク**…胃を冷やし、余分なものを排出する作用が行き過ぎないように胃腸を温め、気を補うものと組み合わせます。

おすすめレシピ

●**小松菜のごま和え【貧血、精神不安、落ち込み、乾燥便秘に】**…①さっとゆでた小松菜を食べやすい大きさに切る。②①をすったごま、醤油、砂糖で調味する。

●**小松菜と豆腐のサラダ【胸焼け、興奮、イライラに】**…①小松菜1束を刻む。②①にくずした木綿豆腐1丁を合わせる。③②にカツオブシ、しょうが、すりごまをのせ、醤油をかける。

●本書へのご意見・ご感想をお聞かせください。

ご協力ありがとうございました。

郵便はがき

105-0003

（受取人）
東京都港区西新橋2-23-1
3東洋海事ビル
（株）アスコム

切手を
お貼りください

漢方のプロが教える 最高の体調をつくる食事術

読者　係

本書をお買いあげ頂き、誠にありがとうございました。お手数ですが、今後の出版の参考のため各項目にご記入のうえ、弊社までご返送ください。

お名前		男・女	才
ご住所　〒			
Tel	E-mail		
この本の満足度は何％ですか？			％
今後、著者や新刊に関する情報、新企画へのアンケート、セミナーのご案内などを郵送またはeメールにて送付させていただいてもよろしいでしょうか？ □はい　□いいえ			

返送いただいた方の中から**抽選で5名**の方に
図書カード5000円分をプレゼントさせていただきます。

当選の発表はプレゼント商品の発送をもって代えさせていただきます。
※ご記入いただいた個人情報はプレゼントの発送以外に利用することはありません。
※本書へのご意見・ご感想およびその要旨に関しては、本書の広告などに文面を掲載させていただく場合がございます。

●血を増やし、興奮を鎮《しず》める

ほうれんそう

旬●冬　体温への影響●涼　性質●降、潤　影響する臓器●胃、大腸

疲れ型	食べ過ぎ型	ストレス型	冷え型	乾燥型	血行不良型	むくみ型	精神不安型
△	○	○	△	◎	○	○	◎

こんな体質・症状のときにおすすめ

●胸焼け、イライラ、興奮、精神不安、目の乾燥、夜《や》盲症《もうしょう》、便秘、糖尿病予防…濃い緑が血を増やし、潤いを補うので、(乾)の目の症状や、(ス)・(精)の興奮・不安に有効です。消炎の食効は(食)・(乾)の胸焼けを軽くします。また赤い根にはインシュリン分泌を促す作用があり、糖尿病予防が期待できます。血が少ない場合の(疲)には向くことがあります。

こんな体質・症状のときは控えめに

●エネルギー不足による疲れ・冷え…胃腸を冷やす食効が強いため、燃料不足の(疲)・(冷)には不向き。すき焼きならよいでしょう。

相性のよい食材

●**黒ごま、牛乳、カツオブシ**…きれいな血と体液を増やし、気持ちを落ち着かせる食効を高めます。●**豚肉、牛肉、鶏肉、油脂類**…冷やす作用が行き過ぎないように温め、気を補います。

おすすめレシピ

●**ほうれんそうの黒ごまクリーム【貧血、不安感、ドライアイ、乾燥、便秘に】**…①ほうれんそう1束をさっとゆでて切る。②①に練り黒ごま大さじ2、お好みで牛乳を加え、醤油、砂糖を加える。

●**ほうれんそうと砂肝のサラダ【胸焼け、糖尿病予防に】**…①ほうれんそう1束は根の部分ごと食べやすく切る。②一口大に切った砂肝のソフトハム（153ページ参照）を合わせる。③マヨネーズにレモン汁、粒マスタード、塩を混ぜ合わせ②にかける。

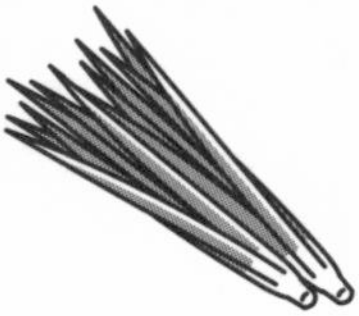

●体を温めて、精力を増強させる

にら

旬●春　体温への影響●温　性質●昇　影響する臓器●心臓、肝臓、腎臓

疲れ型	食べ過ぎ型	ストレス型	冷え型	乾燥型	血行不良型	むくみ型	精神不安型
○	○	○	◎	△	◎	○	◎

こんな体質・症状のときにおすすめ

●無気力、ストレス、うつ、血行不良、足腰の弱り、性欲減退、冷えによる生理痛・便秘・夜尿症《やにょうしょう》、狭心症《きょうしんしょう》予防…「起陽草《きようそう》」という別名があるほど、温める陽の作用を持ち、欲望、生殖機能を高めるので(疲)・(冷)の無気力に最適。気血を巡らせる作用は(ス)・(血)を楽にし、血栓を溶かす作用も期待できます。

こんな体質・症状のときは控えめに

●ほてり、イライラ、上部熱感、鼻血、胃弱…刺激が強く、温める食効が強いため、粘膜が弱く熱感、ほてりがある(乾)は不向き。食べないほうがよいでしょう。(ス)もイライラするときは避けて。

相性のよい食材

●**エビ、もち米、にんじん、ごま、レバー**…熱エネルギーを増やし、肝腎を補い、スタミナをつけます。●**昆布、大根、白菜、酢**…にらの温める働きが行き過ぎないように、気を降ろし、熱を冷ます組み合わせです。

おすすめレシピ

●**にらとエビのとろとろ【生理痛、夜尿症、足腰の弱りに】**…①もち米1／2カップと水1カップで粥をつくる。②沸騰させた①にエビと2㎝に切ったにらを入れたら火をとめ、フタをして余熱で火を通す。③塩で味を調える。

●**にら・にんじんの塩昆布もみ【花粉症の水っぽい鼻水、狭心症の予防に】**…①にらとにんじんを同じ長さに切り、ビニール袋に入れる。②塩昆布、塩少々を加え、しんなりするまで袋ごともむ。

●気持ちを鎮《しず》め、安眠へ導く

レタス

旬●秋　体温への影響●涼　性質●降　影響する臓器●肺、肝臓、胃、大腸

疲れ型	食べ過ぎ型	ストレス型	冷え型	乾燥型	血行不良型	むくみ型	精神不安型
△	◎	◎	△	○	○	○	◎

こんな体質・症状のときにおすすめ

●貧血、不眠、興奮、ストレス、高血圧予防…別名を「乳草《ちちくさ》」といい、血を補い、母乳の出をよくするとされています。(食)・(ス)・(乾)・(精)の神経の高まりを鎮めて安心させ、ストレスを緩和し、安眠、血圧降下に働きます。

こんな体質・症状のときは控えめに

●エネルギー不足による冷え、疲れ、下痢《げり》…冷やす食効があるため、元気をつけたい(疲)・(冷)には向きません。エビ、肉類と炒め、温かいうちにどうぞ。

相性のよい食材

●**ハツ（豚の心臓）、チーズ、トマト、ポン酢**…気持ちを落ち着かせ、神経の高まりを鎮める食効を助けます。

●**ごま、ニンニク、しょうが**…冷やす作用が行き過ぎないように温める組み合わせ。

おすすめレシピ

●**安眠レタス炒め【貧血、不安感、不眠に】**…①ハツ（豚の心臓）は薄切りにし、塩を振る。②①を炒め、火が通ったら、ちぎったレタスを入れて火をとめる。③お好みでレモン汁や粉チーズをかける。

●**レタスとイカのゆずポン酢和え【ストレス、イライラ、興奮、高血圧に】**…①レタスを千切りにする。②イカを柔らかくなるまで加熱し、短冊に切る。③①と②をゆずポン酢で和える。

●自律神経を安定、視力回復に

春菊・菊の花

旬●春　体温への影響●平　性質●降　影響する臓器●心臓、肺、肝臓

疲れ型	食べ過ぎ型	ストレス型	冷え型	乾燥型	血行不良型	むくみ型	精神不安型
△	○	◎	△	○	○	○	◎

こんな体質・症状のときにおすすめ

●視力減退、高血圧・眼病予防、めまい、不安感、イライラ…目とつながる肝臓の熱を冷まして浄血し、心機能の回復を助けるので、(食)・(乾)の眼病《がんびょう》、血圧の上昇、めまいを改善。気を下げ、興奮を鎮《しず》める食効は、(ス)・(精)のイライラ、不安に向きます。

こんな体質・症状のときは控えめに

●エネルギー不足による冷え、疲れ…胃腸を冷やし、余分なものを排出する作用が高いので、(疲)・(冷)には向きません。

相性のよい食材

●**豆腐、貝類、イカ、トマト**…きれいな血を増やし、気持ちを落ち着かせる食効を高めます。●**牛肉、豚肉、油脂類**…冷やす作用が行き過ぎないように温め、気を補う組み合わせ。

おすすめレシピ

●**春菊・トマト・豆腐のごま醤油【不安感、イライラ、更年期に】**…①春菊1束はちぎり、トマト1個、豆腐1丁はお好みの大きさに切っておく。②①にごま油大さじ1、醤油小さじ2をかけ、シラスをのせる。

●**春菊とホタテの酢味噌【眼病、高血圧、高脂血症の予防に】**…①春菊1束は食べやすい大きさに切る。②①と一口大に切ったホタテを合わせ、酢味噌（味噌：酢：砂糖＝2：1：1）とお好みで戻したクコを混ぜたたれをかける。

●自律神経を安定させる

セロリ

旬●春、夏　体温への影響●平　性質●降　影響する臓器●肺、肝臓、胃、大腸

疲れ型	食べ過ぎ型	ストレス型	冷え型	乾燥型	血行不良型	むくみ型	精神不安型
△	○	◎	△	○	○	○	◎

こんな体質・症状のときにおすすめ

●イライラ、更年期、不眠、精神不安、高血圧・高脂血症の予防、生理痛、排尿痛、便秘…特有の香りが気を巡らせ、精神を安定させるため、(ス)・(精)の神経の高まりが原因の症状に向きます。余分な水分を排出する食効は、排尿痛や淋病《りんびょう》に、血流を促す食効は(ス)・(血)の生理痛に効果があります。

こんな体質・症状のときは控えめに

●冷え、疲れ、男性不妊症…冷やし、余分なものを排出するので、温め補いたい(疲)・(冷)には向きません。精子を減らす作用もあるとされます。肉、魚介類と加熱するとよいでしょう。

相性のよい食材

●**イカ、トマト**…きれいな血を増やし、気持ちを落ち着かせる食効を高めます。●**エビ、油脂類、ニンニク**…冷やす作用が行き過ぎないように、温め、気を補う食材を組み合わせます。

おすすめレシピ

●**セロリとイカの炒め【高血圧、高脂血症の予防、生理痛、不眠、不安感に】**…①セロリ1束は葉とともに細かく刻む。②イカ1杯は皮をむき、食べやすい大きさに切る。③①と②を炒め、塩で味を調える。お好みでレモン汁をしぼる。

●**セロリとにんじんの浅漬け【イライラ、不安感、更年期、膀胱炎に】**…①セロリ、にんじんは棒状に切っておく。②①に干しぶどうを加え、酢、砂糖、塩、白だしで味つけし、ローリエなどお好みのハーブを入れる。

●疲労を回復し、免疫を上げる

アスパラガス

旬●春、夏　体温への影響●平　性質●潤　影響する臓器●心臓、肺、肝臓

疲れ型	食べ過ぎ型	ストレス型	冷え型	乾燥型	血行不良型	むくみ型	精神不安型
○	○	○	○	◎	○	○	○

こんな体質・症状のときにおすすめ

●疲れ、寝汗、のどの渇《かわ》き、高血圧・高脂血症・糖尿病の予防…気を補い、疲れをとる働きがあり、（疲）・（冷）に向きます。体液のバランスを整えるので、（乾）の口の渇きを潤す一方、むくみも解消。糖質や脂質の代謝を助ける働きは（食）・（む）の老廃物排出に協力します。

こんな体質・症状のときは控えめに

●繊維質による下痢《げり》…性質が穏やかでどんな症状にも使えますが、（疲）・（冷）、胃腸虚弱により繊維質で下痢するときは控えめに。ポタージュにするとよいでしょう。

相性のよい食材

●**きのこ類、とうもろこし**…気を補い、余分な水分を排出する食効を高めます。●**豚肉、イカ、もち米**…繊維質が豊富で余分なものを排出する食効が強いので、気を補う食材を合わせます。

おすすめレシピ

●**アスパラガス粥【疲れ、寝汗、疲労による汗の出過ぎに】**…①もち米1カップ、水1ℓで粥をつくる。②①を沸騰させ、一口大に切ったアスパラガスを入れてフタをする。③余熱で火を通し、塩などで味を調える。

●**アスパラガスときのこ炒め【高血圧・高脂血症・糖尿病の予防、のどの渇き、むくみに】**…①アスパラガスときのこを食べやすい大きさに切る。②①を少量の菜種油で炒め、塩で味を調える。お好みでレモン汁をしぼる。

●代謝を高め、夏バテを防ぐ

もやし

旬●通年　体温への影響●涼　性質●降　影響する臓器●心臓、脾臓、胃

疲れ型	食べ過ぎ型	ストレス型	冷え型	乾燥型	血行不良型	むくみ型	精神不安型
△(大豆もやしは○)	◎	○	△	◎	○	◎	○

こんな体質・症状のときにおすすめ

●便秘、高脂血症の予防、舌苔《ぜったい》が厚いときのイボ、にきび、夏バテ…熱を冷まし、体内の毒を解毒する食効と、豊富な繊維が、便秘を解消。(食)・(む)に向きます。脂質や老廃物を排出するので、(食)・(む)のおでき・にきびを改善。のどの渇《かわ》きをとめ、暑さを軽減するので、(乾)の夏バテにも有効です。

こんな体質・症状のときは控えめに

●冷え、下痢《げり》…熱を冷まし、余分なものを排出するため、胃腸が過敏になりやすい(疲)・(冷)で下痢しているときには不向き。みじん切りにしてやまいもに混ぜ、お好み焼きにするのがおすすめ。

相性のよい食材

●**ワカメ、きゅうり、豆腐**…熱を冷まし、解毒する食効を高めます。●**豚肉、ごま、油脂類**…気や血を補う食効を加え、余分なものを排出する作用の行き過ぎを防ぎます。

おすすめレシピ

●**厚揚げのもやしあん【高脂血症の予防、二日酔いの防止に】**…①煮立てただし汁にもやしを入れ、火が通ったら塩で味つけし、水溶き片栗粉でとろみをつける。②厚揚げをトースターでこんがり焼き、①をかける。

●**もやしとワカメのわさび醤油【のぼせ、ほてり、にきび、便秘に】**…①もやしとワカメはさっとゆでる。②めんつゆにわさびを溶かしておく。③①を②で和える。

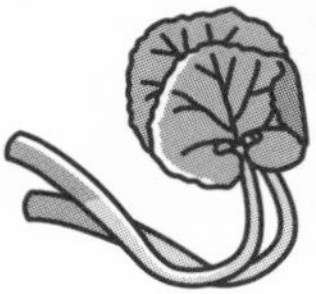

●咳《せき》をとめ、痰《たん》を消す

ふき

旬●春　体温への影響●温　性質●降　影響する臓器●心臓、肺、肝臓

疲れ型	食べ過ぎ型	ストレス型	冷え型	乾燥型	血行不良型	むくみ型	精神不安型
△	◎	◎	△	○	◎	○	○

こんな体質・症状のときにおすすめ

●黄色い痰《たん》が出る咳《せき》、アレルギー、花粉症、ストレス、肩こり、便秘…痰を解消し、体内の毒を解毒する食効があり、(食)・(む)に向きます。アレルギー、花粉症を軽減するといわれています。独特の香りは気を巡らせ、血流を改善するので、(ス)・(血)のストレスや肩こりにも有効です。

こんな体質・症状のときは控えめに

●下痢《げり》、下垂症状…余分なものを排出するため、過剰な排出を避けたい(疲)・(冷)には不向きです。繊維も多いので腸が過敏になっているときは控えて。

相性のよい食材

●**しいたけ、味噌**…熱を冷まし、解毒する食効を高めます。●**高野豆腐、油揚げ、鶏肉**…余分なものを排出する食効の行き過ぎを防ぎます。

おすすめレシピ

●**ふきご飯【咳、痰、ストレス、アレルギーの改善に】**…①ふき5本は皮ごと1㎝の長さに切る。油揚げ3枚も同じ大きさに切る。②大さじ3の水に醤油、みりん、塩少々を溶かし①を合わせてひと煮立ちさせる。③炊き立てのご飯に②を混ぜ合わせる。

●**ふきときのこの佃煮【便秘、にきび、肩こりに】**…①ふき250gは皮ごと、葉はよく洗い、一口大に切る。②スライスしたしいたけ50gを①とともにだし汁2カップで煮る。③②と醤油・酒・みりん各大さじ3を合わせ、煮詰める。

●湿気をはらい、足腰を軽くする

うど

旬●春　体温への影響●温　性質●散　影響する臓器●胃、大腸、腎臓

疲れ型	食べ過ぎ型	ストレス型	冷え型	乾燥型	血行不良型	むくみ型	精神不安型
○	○	◎	○	△	○	◎	○

こんな体質・症状のときにおすすめ

●ひざや腰の痛み、低気圧時の頭重《ずおも》・頭痛・肩こり・古傷の痛み、湿疹《しっしん》、手足の震え…じめじめした湿気をはらい、お天気が悪くなると発生する症状を軽くします。水をためやすい(疲)・(冷)・(む)の水っぽさを解消します。香りは気を巡らせ(ス)のイライラを発散します。

こんな体質・症状のときは控えめに

●胃弱、下痢《げり》、乾燥…繊維が多いので、腸が過敏になりやすい(冷)・(乾)は慎重に。湿気を発散するので乾燥症状には合いません。(冷)は小さく切って、つみれや肉団子の隠し味に。(乾)は甘酢と合わせて。

相性のよい食材

●**貝、酢**…熱を冷まし、解毒する食効を高めます。●**油、卵、ごま、肉類、魚介類**…発散作用を抑えるため、血や潤いを補う食効を合わせます。

おすすめレシピ

●**うどのごま酢和え【ストレス、イライラ、不安感、肩こり、便秘、湿疹、手足の震えに】**…①すりごま大さじ4、酢・みりん・醤油各大さじ1、塩少々を合わせる。②うど2本をスライスし、①と和える。

●**うどのきんぴら山椒風味【低気圧前の頭重、古傷の痛み、肩こりに】**…①うど2本は皮ごとスライスする。葉、芽も細かく刻む。②①と小口切り唐辛子を少量の菜種油で炒める。③醤油、みりんで調味し、食べる直前に粉山椒を振る。山椒の新芽は手でぽんとたたいて香りを出し、添える。

●熱を冷まし、イライラを抑える

たけのこ

旬●春　体温への影響●寒　性質●降　影響する臓器●胃、胆のう

疲れ型	食べ過ぎ型	ストレス型	冷え型	乾燥型	血行不良型	むくみ型	精神不安型
△	◎	○	×	○	○	○	○

こんな体質・症状のときにおすすめ

●便秘、イライラ、黄色い痰、大腸がんの予防…熱を冷まし、脂質や老廃物の排出を促すため、(食)・熱感を伴う(む)に適します。体に余分な熱があると起きやすい便秘や黄色の痰《たん》に向きます。気を落ち着かせる性質もあるため、(食)・(ス)・(乾)のイライラ・興奮を和らげます。

こんな体質・症状のときは控えめに

●疲れ、冷え、胃腸が弱く下痢《げり》するとき…熱を冷まし、余分なものを排出するため、(疲)・(冷)には不向き。繊維も多いので、腸が過敏になっているときは控えて。小さめに切り、もち米と合わせましょう。

相性のよい食材

●**ワカメ、きのこ類**…熱を冷まし、解毒し、老廃物を排出する食効を高めます。●**もち米、豚肉、カツオブシ、山椒**…温める食材で、冷やし余分なものを排出する食効の行き過ぎを防ぎます。

おすすめレシピ

●**若竹煮【便秘、ストレス、イライラ、黄色い痰、大腸がん・高脂血症の予防に】**…①あく抜きしたたけのこを食べやすい大きさに切り、カツオだしで煮る。②柔らかくなったら、ワカメを入れ、塩、みりんで調味する。

●**たけのこおこわ【胃下垂、脱肛、吐き気に】**…①たけのこを食べやすい大きさに切る。②一晩吸水したもち米3カップと同量の水、昆布1片を炊飯器に入れる。③酒・みりん各大さじ2、塩少々を加えてひと混ぜする。④①を均等にのせて炊く。③木の芽を散らす。

●青色がイライラを冷まし、血行促進

なす

旬●夏　体温への影響●寒　性質●降　影響する臓器●肺、胃、大腸

疲れ型	食べ過ぎ型	ストレス型	冷え型	乾燥型	血行不良型	むくみ型	精神不安型
△	◎	○	×	○	◎	○	○

こんな体質・症状のときにおすすめ

●のぼせ、ほてり、更年期、胸の張り、口内炎、ほてりを伴う血行障害、痔、歯槽膿漏《しそうのうろう》…熱を冷まし、消炎するので、熱が苦しい（食）・（乾）の興奮、ほてり、口内炎を軽くします。老廃物を排出し、利尿する作用は（む）に最適。浄血し、血流を整え、止血に働き、どろどろ血のときの（血）の痔・歯槽膿漏にも有効です。

こんな体質・症状のときは控えめに

●妊娠中…体を冷やし余分なものを捨てる作用もあるため、（冷）、妊娠時は過食に注意。油で調理し、ニンニクやしょうがを加えるとよいでしょう。冷えを伴う（む）にも合いません。

相性のよい食材

●**しし唐、ピーマン、トマト、わさび**…浄血するもの同士の組み合わせ。
●**しょうが、ニンニク、山椒、味噌、油脂類**…温める食効を合わせ、冷やす作用の行き過ぎを防ぎます。

おすすめレシピ

●**なすペースト【血行不良、動脈硬化予防に】**…①なす2本を丸ごとトースターで焼き、ざく切りにする。②①と、刻みニンニク1かけ分、塩少々、ひたひたにかぶる菜種油をミキサーにかけてペースト状にする。パンや野菜につけてどうぞ。
●**なすのわさび浅漬け【ほてり、胸焼け、もたれに】**…①なす4本は丸ごとスライスし、塩・酢各大さじ1、わさび・みりん・醤油小さじ1とともにビニール袋に入れてもむ。②冷蔵庫で半日程度寝かせる。

●気を巡らせ精神を安定させる

ピーマン

旬●夏　体温への影響●平　性質●降　影響する臓器●心臓、胃、肝臓

疲れ型	食べ過ぎ型	ストレス型	冷え型	乾燥型	血行不良型	むくみ型	精神不安型
△	○	◎	△	○	○	○	○

こんな体質・症状のときにおすすめ

●更年期、イライラ、ストレス、目の疲れ、充血、高血圧予防、肝機能障害の緩和…肝臓の熱を冷まし、炎症を消火するので、(食)・(ス)・(乾)の余分な熱が多く興奮している症状に向きます。浄血し、血流を整える作用もあり、(食)・(血)・(む)の血圧安定を助けます。

こんな体質・症状のときは控えめに

●冷え、疲れ…熱を冷ます傾向があるので、(疲)・(冷)は過食を控えて。ピーマンの種には芽が出る力（＝気）があるので、栄養成分が豊富なワタごと加熱して調理しましょう。

相性のよい食材

●**トマト、豆腐、たけのこ、なす、にんじん**…熱を冷まし、イライラを鎮め、目をよくする作用を高めます。

●**しょうが、ニンニク、肉類、じゃこ、山椒、油脂類**…冷やす作用が行き過ぎないように温めるものと合わせます。

おすすめレシピ

●**ピーマンとなすのトマト和え【更年期、イライラ、ストレス、目の疲れ、充血、高血圧予防、肝機能障害の緩和に】**…①ピーマン・なすは一口大に切り、塩少々と炒める。②カットトマト（缶でも可）にオリーブ油、バジルみじん切り、塩、砂糖少々を混ぜ、①を和える。

●**ピーマンの山椒炒め【血行不良に】**…①ピーマンは丸ごとスライスする。②①を少量の油で炒め、ちりめんじゃこと合わせ、醤油、みりん、酒、山椒で味を調える。

●心臓に似た赤い実がのぼせを下げる

トマト

旬●夏　体温への影響●涼　性質●潤　影響する臓器●肝臓、胃

疲れ型	食べ過ぎ型	ストレス型	冷え型	乾燥型	血行不良型	むくみ型	精神不安型
△	○	○	△	◎	○	△	◎

こんな体質・症状のときにおすすめ

●夏や妊娠中の食欲不振、口内炎、歯茎出血、貧血、イライラ、高血圧予防…余分な血の熱を冷まし、出血をとめるので、（食）・（乾）の熱が原因の症状に向きます。血を増やす作用もあり、心労《しんろう》が続き、体が加熱して生じた（ス）・（精）のイライラ・不安を緩和します。

こんな体質・症状のときは控えめに

●冷え、下痢《げり》、むくみ…体を冷やし、水分を増やすので、水分代謝が悪いときには不向き。（冷）・（む）に多い舌のふちに歯型があるときは過食は避けて。加熱してニンニクやスパイスとともに。

相性のよい食材

●**イカ、貝類、セロリ、しそ、酢、レモン、チーズ**…肝機能を助け、気持ちを落ち着ける食効を高めます。

●**ニンニク、たまねぎ**…水分を発散させるため、潤いすぎを防ぎます。

おすすめレシピ

●**トマトとセロリのサラダ【暑さによる食欲不振、ストレス、口内炎、歯茎出血、高血圧・高脂血症予防に】**…①トマト・セロリを食べやすい大きさに切る。②細切りにしたしそを上にのせ、ポン酢をかける。（疲）・（冷）はごまドレッシングで。

●**魚介のトマトスープ【貧血、高血圧・高脂血症の予防に】**…①鍋によく洗ったあさり1パック分を入れ、3カップの水を入れる。②沸騰し、あさりの口が開いてきたら、トマト缶1個分を加え、一口大に切ったイカ1杯分を入れ、軽く煮込む。③塩、パセリを散らす。

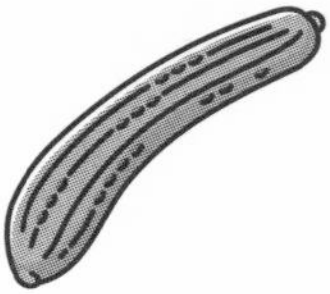

●ヘタに含まれるビラジンが血栓を予防

きゅうり

旬●夏　体温への影響●涼　性質●降　影響する臓器●胃、大腸

疲れ型	食べ過ぎ型	ストレス型	冷え型	乾燥型	血行不良型	むくみ型	精神不安型
△	◎	○	△	◎	○	○	○

こんな体質・症状のときにおすすめ

●のぼせ、ほてり、高血圧・高脂血症予防…熱を冷まし、のどの渇《かわ》きをいやすので、過剰な熱が原因の症状に向きます。余分な水分を排出解毒するので、老廃物が多く熱感を伴う、舌苔《ぜったい》が厚い(食)・(む)に好相性です。

こんな体質・症状のときは控えめに

●冷え、疲れ、冷えによるむくみ…冷やし、排出する食効が強いため、温めて補うほうがよいときには向きません。舌苔が少なく歯形がついている(冷)・(む)は、しょうが、ニンニクを加えるか、加熱調理にするとよいでしょう。

相性のよい食材

●**なす、みょうが、ワカメ**…暑さを冷まし、解毒する食効を高めます。

●**ぬか、味噌、しょうが、ごま**…胃を冷やし、余分なものを排出する作用が行き過ぎないように、胃腸を温めるものと組み合わせます。

おすすめレシピ

●**きゅうりと夏野菜のしば漬け【老廃物の解毒・排出、高脂血症予防に】**…①きゅうり・なすは有効成分が多いヘタごと一口大に切る。②清潔な瓶に①と縦に切ったみょうが、ゆかり、りんご酢少々を入れて、振りながら、冷蔵庫で半日寝かせる。

●**塩昆布きゅうり【ほてりを伴うむくみ、暑さ負け、のぼせ、高血圧予防に】**…①きゅうりをまな板の上でたたき、一口大に切る。②塩昆布と塩少々でもむ。

●脂質、老廃物の排出を助ける

ゴーヤ

旬●夏　体温への影響●寒　性質●降　影響する臓器●心臓、胃、大腸、肝臓

疲れ型	食べ過ぎ型	ストレス型	冷え型	乾燥型	血行不良型	むくみ型	精神不安型
△	◎	◎	×	○	○	○	○

こんな体質・症状のときにおすすめ

●食欲不振、イライラ、興奮、目の充血、精神不安、初期の糖尿病、高脂血症・高血圧の予防…熱を冷まし、(食)・(ス)・(乾)の興奮を鎮めます。苦味は気の逆上を下げ、熱くてイライラするとき、落ち着きたいときにぴったりです。

こんな体質・症状のときは控えめに

●冷え、疲れ…冷やす食効が強く、温めて気を補いたい(疲)・(冷)は向きません。肉、豆腐、卵と合わせるチャンプルーがよいでしょう。排出の食効が強いため、妊娠中は流産の危険性が高まるので避けましょう。

相性のよい食材

●**トマト、もやし**…熱を冷まし、浄血し、気持ちを落ち着かせる食効を高めます。●**豚肉、魚介類、卵、油脂類**…胃腸を温め、気を補うため、冷やす作用の行き過ぎを防ぎます。

おすすめレシピ

●**ゴーヤとトマトのツナサラダ【ほてり、イライラ、精神不安、初期の糖尿病、高脂血症・高血圧の予防に】**…①ゴーヤはワタを取りスライスする。②食べやすい大きさに切ったトマトと①を合わせ、上からツナをのせ、醤油をかける。

●**ゴーヤともやしのチャンプルー【夏バテに】**…①ゴーヤはワタを取りスライスする。②①を菜種油で炒める。③もやし、水切りした木綿豆腐を崩して入れ、さらに炒め、塩こしょう、めんつゆで味を調える。④溶き卵を入れてかき混ぜ、加熱する。

●βカロチンが免疫機能を活性化

かぼちゃ

旬●夏　体温への影響●温　性質●昇　影響する臓器●胃、大腸

疲れ型	食べ過ぎ型	ストレス型	冷え型	乾燥型	血行不良型	むくみ型	精神不安型
○	△	○	◎	△	○	○	○

こんな体質・症状のときにおすすめ

●胃腸の冷え、冷えを伴うむくみ・たるみ、疲れ、脱肛《だっこう》、風邪の予防…デンプンが水を吸収し、気を増やすので、(疲)・(冷)の水分過剰による夏バテやたるみ、脱肛などの下にさがる症状に向きます。

こんな体質・症状のときは控えめに

●舌苔《ぜったい》が厚いとき、ほてり、胸焼け、乾燥…温め補う食効が強いため、排出したい(食)は、西洋種は不向き。(乾)は水が多く潤す食効がある和種のかぼちゃが向きます。

相性のよい食材

●**あずき、いんげん**…水分排出を助けます。●**味噌、油、バター、ごま**…温める食効を増強させます。●**しいたけ、きゅうり、三つ葉、なす、酢**…温め過ぎを防ぎます。

おすすめレシピ

●**かぼちゃの丸ごと味噌汁【糖尿病・腎炎の予防、疲れに】**…①かぼちゃ1／4個はワタを取って切る。②取り除いた種、ワタ、ヘタを金属製のザルに入れる。③鍋に湯を沸かし、①、②を入れ、箸でほぐしながらエキスを出す。④ザルを取り出し火をとめ味噌を加える。

●**かぼちゃサラダ【夏バテ、水腹、たるみ、脱肛に】**…①きゅうり1本はスライスし塩を振りもんでおく。②蒸したかぼちゃ500gを潰し、①の汁ごと合わせ、マヨネーズ大さじ4、酢大さじ1、塩少々で味つけする。

●暑さを冷まし、利尿する

とうがん

旬●夏　体温への影響●寒　性質●降　影響する臓器●肺、大腸、小腸、膀胱

疲れ型	食べ過ぎ型	ストレス型	冷え型	乾燥型	血行不良型	むくみ型	精神不安型
△	○	○	×	○	△	○	○

こんな体質・症状のときにおすすめ

●暑気あたり、のどの渇《かわ》き、二日酔い、むくみ、尿が出ない…熱を冷ます効果が高く、夏に冬のような食効をもたらします。熱が苦しい(食)・(乾)に向きます。老廃物や尿の排出を促すので、舌苔《ぜったい》が黄色く熱感を伴う(む)の水分代謝を助けます。

こんな体質・症状のときは控えめに

●冷え、疲れ、冷えを伴うたるみ、むくみ…排出し冷やすので、(疲)・(冷)・冷えを伴う(む)に合いません。肉類と合わせ温かいあんかけにして、しょうがを添えましょう。

相性のよい食材

●**しいたけ、あずき、もやし、昆布、おくら**…余分な熱や水分の排出を助けます。●**しょうが、鶏肉、いんげん豆、エビ、ごま油、厚揚げ**…気や血を補い冷やし過ぎを防ぎます。

おすすめレシピ

●**とうがんの浅漬け【むくみ、疲、にきびに】**…①皮をむいたとうがん、みょうがをスライスし、塩でもむ。

●**とうがんの冷製スープ【むくみ、糖尿病・腎炎予防、暑さ負け夏バテに】**…①とうがんは皮をむいてワタを取り除き、食べやすい大きさに切る。②金属製のざるにとうがんの皮、ワタ、種を入れる。③鍋に水、戻した干ししいたけ、①、②を入れて火をつける。④ザルの中をかき混ぜてエキスを出しながら煮る。⑤塩で調味し、刻んだおくらを浮かべ冷やす。

●夏の疲れた腎臓を助ける

おくら

旬●夏　体温への影響●平　性質●降　影響する臓器●胃、腎臓

疲れ型	食べ過ぎ型	ストレス型	冷え型	乾燥型	血行不良型	むくみ型	精神不安型
○	◎	○	○	○	◎	○	○

こんな体質・症状のときにおすすめ

●夏の疲れ、消化不良、腹の張り、ガス、便秘、高脂血症・高血圧の予防…ネバネバ食材は腎臓を助け、夏の水分代謝で消耗した(疲)・(冷)の腎臓を元気づけます。一方で消化を促進し胃腸を動かし、余分なものを排出するため、体内に老廃物がたまっている(食)に適します。

こんな体質・症状のときは控えめに

●冷えによる下痢…精をつけ、胃腸や腎臓を元気にしつつ、余分なものを排出するので、ほとんどの方に合います。繊維が多く排出するという点で、(疲)・(冷)の下痢には不向き。

相性のよい食材

●**やまいも、メカブ、豆類、納豆**…腎臓を元気づけ、余分なものを排出し、浄血する作用を強めます。●**ごま、卵、カツオブシ、エビ**…血や気を補い、温める食材を合わせ、排出する作用が行き過ぎないようにします。

おすすめレシピ

●**おくらのたたき【夏バテ、消化不良、便秘、高脂血症・高血圧の予防に】**…①おくらはヘタごとまな板の上でたたき、メカブと合わせる。②醤油、わさびで味を調える。

●**おくらのごま和え【夏の疲れ、夏バテ、疲労に】**…①おくらは切らずにさっと熱湯にくぐらせ、水で冷やし色どめする。②①をヘタごと大きめの斜め切りにし、すりごま大さじ2、醤油・砂糖各小さじ2で味つけする。

●体を冷やし、消化を助ける

大根

旬●秋〜冬　体温への影響●涼　性質●降　影響する臓器●脾臓、胃、肺

疲れ型	食べ過ぎ型	ストレス型	冷え型	乾燥型	血行不良型	むくみ型	精神不安型
△	◎	○	△	○	○	△	○

こんな体質・症状のときにおすすめ

●舌苔が多く黄色いときの消化不良、胸焼け、黄色い痰《たん》、咳《せき》、便秘…青菜の消化促進作用により、未消化物、老廃物を排出するので(食)にぴったり。熱性の胸焼けには大根おろしがぴったりです。黄色く粘る痰をサラサラにして咳を解消します。

こんな体質・症状のときは控えめに

●冷えによる下痢《げり》・胃腸虚弱、透明なサラサラの痰を伴う咳…冷やし、排出する食効が強いので、(疲)・(冷)は不向き。黄色の痰が出る咳に有効ですが、透明でサラサラな痰を伴う咳は、冷えと水分過剰が原因なので、逆効果に。

相性のよい食材

●**わさび、大根の葉**…消化・排出を助けます。●**ゆず、みかんの皮**…気を巡らせ、消化を助けます。●**小魚、ブリ、豚ばら肉、厚揚げ、にんじん、味噌、みりん、唐辛子**…気を補い、温めるため、冷却や排出のし過ぎを防ぎます。

おすすめレシピ

●**大根おろし陳皮ポン酢【胸焼け、消化不良、黄色い痰、咳、のぼせ、イライラ、胃がん予防に】**…①みかんの皮をみじん切りにする。②大根を皮ごとおろし、①と混ぜ、醤油・酢を合わせる。肉や野菜にかけて使う。

●**短冊大根と大根菜のじゃこ炒め【便秘、骨粗鬆症に】**…①大根は皮つきのまま短冊に切る。葉はみじん切りにする。②ごま油でじゃこを炒め、①を加えてさらに炒める。③鍋肌から醤油を入れ、味つけする。

●腫《は》れ物・つまりを解消

かぶ

旬●春、秋　体温への影響●平　性質●降　影響する臓器●脾臓、肺

疲れ型	食べ過ぎ型	ストレス型	冷え型	乾燥型	血行不良型	むくみ型	精神不安型
○	◎	○	△	○	○	△	○

こんな体質・症状のときにおすすめ

●熱を持った腫れ物、胸の張り、舌苔《ぜったい》が多く黄色いときの消化不良、胸焼け、黄色い痰《たん》…青菜特有の消化促進作用により、未消化物、老廃物のたまった熱毒症状を緩和。(食)の消化不良に適します。また、つまりを取り炎症を解消するので、産後の胸の張りや痛みにも使えます。

こんな体質・症状のときは控えめに

●冷えによる下痢《げり》、透明なサラサラの痰を伴う咳《せき》…(冷)・冷えを伴う(む)の水分過剰が原因の症状には不向き。加熱し肉類と合わせ、しょうがを加えましょう。

相性のよい食材

●**ゆず、みかんの皮**…気を巡らせ、胃腸を助けます。●**しいたけ、ぬか漬け、昆布、かぶの葉**…余分なものを排出し、消化力を強めます。●**厚揚げ、にんじん、鶏肉**…温める食材を合わせ、熱を冷ます傾向が行き過ぎないようにします。

おすすめレシピ

●**かぶの塩昆布酢【腫れ物、乳腺炎、消化不良、胸焼け、黄色い痰、便秘、骨粗鬆症に】**…①かぶは実を薄切りに、茎を小口切りにして軽く塩もみする。②塩昆布と酢を加える。

●**かぶおろしスープ【消化不良、不安感、ストレスに】**…①かぶの実・しいたけは一口大に、茎、葉は刻む。②だし汁で①を煮る。火が通ったら、みりん・塩で味つけし、かぶをすりおろし、刻んだゆず皮を入れる。

●胃腸を助け、増血し視野を明るくする

にんじん

旬●秋、冬　体温への影響●温　性質●降、潤　影響する臓器●肺、膵臓、肝臓

疲れ型	食べ過ぎ型	ストレス型	冷え型	乾燥型	血行不良型	むくみ型	精神不安型
◎	○	○	○	○	○	○	◎

こんな体質・症状のときにおすすめ

●胃腸虚弱の消化不良、ドライアイ、不安感、高脂血症・糖尿病の予防…胃腸を助け、気を補いながら消化を促進するので(疲)・(冷)の胃腸が未発達の子どもや、虚弱者の消化不良にも合います。血を増やし、肝臓から目をよくするため、心労《しんろう》が原因の(ス)・(精)の不安感や目の不快症状を改善してくれます。

こんな体質・症状のときは控えめに

●冷えによる下痢《げり》…食物繊維が多いので、下痢するときは、多量の生食を避けましょう。煮物ならよいでしょう。

相性のよい食材

●**ほうれんそう、レーズン、ひじき、黒ごま**…血を増やす食効を高めます。●**レモン、りんご、大根**…肝臓を助け、老廃物の排出を助けます。●**油揚げ・肉類・たまねぎ**…温め気を補う性質の食材と合わせ、冷やさないようにします。

おすすめレシピ

●**にんじんとりんごのスムージー【消化不良、ドライアイ、ストレス、高脂血症・糖尿病の予防に】**…①にんじん1本、りんご1個、レモン1／4個（全て皮つき）を適当な大きさに切る。②①とお好みの量の水をミキサーにかける。

●**にんじんとひじきのご飯【不安感、ドライアイに】**…①皮つきのにんじん1本、油揚げ2枚を同じ大きさに刻む。②炊飯器に米3合、水、ひじき30g、①を入れ、醤油、みりん、塩で味つけし炊く。

●老廃物を除去し、腫れを解消

ごぼう

旬●秋、冬　体温への影響●涼　性質●降、散　影響する臓器●肺、大腸、肝臓

疲れ型	食べ過ぎ型	ストレス型	冷え型	乾燥型	血行不良型	むくみ型	精神不安型
△	◎	○	△	○	○	○	○

こんな体質・症状のときにおすすめ

●便秘、口内の粘つき、熱を持った腫《は》れ物、乳腺炎、高脂血症・高血圧の予防、のどの痛みを伴う風邪…繊維と解毒の食効が老廃物を排出し、炎症を鎮《しず》め、つまりを解消。(食)・(ス)・(む)の乳腺炎やできものに適します。生食すると発散力があり、のどの痛みから始まる風邪のひき始めに有効です。

こんな体質・症状のときは控えめに

●胃腸虚弱、冷えによる下痢《げり》…冷やし、排出する作用は(疲)・(冷)には合いません。食物繊維が多いので、下痢するときは、不向き。食べないほうがよいでしょう。

相性のよい食材

●**こんにゃく、にんじん、たけのこ、れんこん、酢**…肝臓を助け、老廃物の排出を助けます。●**赤味噌、しょうが**…発散を増強します。●**油揚げ、ごま、肉類**…温め血や気を補うため、排出のし過ぎを防ぎます。

おすすめレシピ

●**ごぼうの赤味噌汁【のど痛から始まる風邪のひき始め、乳腺炎に】**…①皮つきごぼう中1本をスライスして、だし汁に入れてひと煮立ちさせ、沸騰したらすぐ火をとめる。②①に赤味噌を入れる。

●**酢ごぼう【便秘、高脂血症・高血圧の予防、口の粘り、腫れ物に】**…①皮つきのごぼう中1本を麺棒でたき適当な大きさに切る。②①と、醤油、みりん、酢（大さじ3：2：2）を鍋に入れひと煮立ちさせ、冷まし、冷蔵庫で保存する。

●咳《せき》どめ、下痢《げり》どめ、出血どめ

れんこん

旬●冬　体温への影響●涼　性質●収、潤　影響する臓器●心臓、胃、大腸、肝臓

疲れ型	食べ過ぎ型	ストレス型	冷え型	乾燥型	血行不良型	むくみ型	精神不安型
◎	○	○	○	◎	○	○	◎

こんな体質・症状のときにおすすめ

●長引く咳《せき》、下痢《げり》、貧血、不安感、胃《い》潰瘍《かいよう》・痔による出血の予防…皮に多い渋味が体から出るものを引き留めるので、(全体質)、特に(疲)の咳どめ、下痢どめ、止血に有効。浄血し、血を増やす食効は(精)の貧血や不安感を和らげます。

こんな体質・症状のときは控えめに

●腹の張り…性質が穏やかで万病に効くといわれますが、デンプン質があり、過食はガスの元です。からしを加えると、でんぷんの消化に役立ちます。

相性のよい食材

●**にんじん、ひじき**…血を増やす作用を高めます。●**ぎんなん、栗、なし、酢**…もれをとめ、潤す食効を増強します。●**みかんの皮、ゆず、大根**…気を巡らせ、消化を助ける食材でガスを解消します。●**しょうが、唐辛子、カレー粉、ごま油、鶏肉**…温める食材で冷えを軽減します。

おすすめレシピ

●**れんこん汁【咳、下痢、胃潰瘍、痔出血に】**…①れんこんをよく洗い、皮ごとすりおろす。②汁をしぼり、盃一杯飲む。※渋みのある生食が頑固な咳に有効。しぼったあとの繊維は、ハンバーグやつみれに。

●**れんこんとにんじんのきんぴら【貧血、不安感に】**…①皮つきのれんこん・にんじんを薄切りする。②菜種油を熱し、さっと炒め、醤油、みりん、塩で味つけし、みかん皮のみじん切り少々を加える。

●温め、発汗し、風邪の侵入を防ぐ

ねぎ・わけぎ・あさつき

旬●春　体温への影響●温　性質●昇、散　影響する臓器●膵臓、肺

疲れ型	食べ過ぎ型	ストレス型	冷え型	乾燥型	血行不良型	むくみ型	精神不安型
○	△	○	◎	△	○	○	△

こんな体質・症状のときにおすすめ

●肩こり、風邪のひき始め、低気圧の不快症状、冷え、血栓の予防…白い部分の辛味で、水分を発散し、温め、気や血の巡りをよくします。風邪のひき始めのゾクゾクや、疲・ス・冷・むに多く見られる低気圧症候群（頭痛、関節や古傷の痛みなど）を改善。肩から背中にかけてのこりや寒気に有効です。

こんな体質・症状のときは控えめに

●胸焼け、胃粘膜の炎症、のぼせ、目の充血、鼻血、脳出血体質…温め、気や血を昇らせる食効が、食・乾の炎症や、体上部の出血には向きません。摂らないほうがよいでしょう。

相性のよい食材

●**唐辛子、納豆、青魚、しょうが、ニンニク**…水分を発散し、血をサラサラにする食効を高めます。●**なす、トマト、貝類、豆腐、酢、砂糖**…冷やし、潤し、気を降ろす作用を合わせ、温め、発散させ、気を昇らせる食効の行き過ぎを防ぎます。

おすすめレシピ

●**ねぎとしょうがの簡単味噌汁【冷え、寒気を伴う風邪のひき始め、低気圧症候群、肩こりに】**…①ねぎをスライスし、椀に入れる。②カツオブシ・赤味噌・おろししょうがを加え、熱湯を注ぐ。

●**ねぎとアオヤギのぬた【ストレスによる血行不良、血栓予防に】**…①ねぎを葉ごと熱湯でさっとゆで、水にさらし色どめする。②アオヤギを入れた器に①をのせる。③味噌・みりん・酢を2：1：1でのばしてたれをつくり、②にかける。

●血をサラサラにして気を巡らせる

たまねぎ

旬●春　体温への影響●温　性質●昇　影響する臓器●肺、胃、肝臓

疲れ型	食べ過ぎ型	ストレス型	冷え型	乾燥型	血行不良型	むくみ型	精神不安型
○	○	◎	○	△	◎	○	○

こんな体質・症状のときにおすすめ

●だるさ、痰《たん》、低気圧時の不快症状、ストレス、高脂血症・血栓予防…生食は水分を発散し、(疲)・(冷)・(む)のだるさ、低気圧の症候群（頭痛、関節痛など）を改善。食後短時間で血をサラサラにし、(血)の血栓予防、月経に塊が混ざりやすい症状にも向きます。辛味と香りが気を巡らすので、(ス)のうつに最適。

こんな体質・症状のときは控えめに

●胸焼け、胃粘膜の炎症、のぼせ、目の充血、鼻血…温め、気や血を昇らせる食効が強いため、(乾)の炎症や、出血、(食)ののぼせには不向き。皮は毛細血管強化作用が期待でき、使用できます。

相性のよい食材

●**唐辛子、しょうが、みょうが、白ねぎ**…水分を飛ばす作用を高めます。●**納豆、青魚、ねぎ**…血をサラサラにする食効を高めます。●**酢、きゅうり、なす、トマト**…冷やし、潤し、気を降ろすため、温め、発散する食効の行き過ぎを防ぎます。

おすすめレシピ

●**たまねぎ納豆【高脂血症、血栓予防に】**…①納豆をかき混ぜる。②みじん切りにしたたまねぎ、納豆のたれを入れてさらにかき混ぜる。※就寝中に血栓を溶かすため夕食時に。

●**たまねぎ皮のみそ汁【お天気病み、だるさ、痰に】**…①たまねぎ1個分の皮を金属製のザルに入れる。②①をだし汁を張った鍋に入れ、箸でかき混ぜながら沸騰させ、エキスを出す。③取り出して火をとめ、赤味噌を溶かす。④スライスしたたまねぎを合わせる。

●だるさ・うつ気分をしゃっきり

らっきょう

旬●夏　体温への影響●温　性質●散　影響する臓器●肺、心臓、胃、大腸

疲れ型	食べ過ぎ型	ストレス型	冷え型	乾燥型	血行不良型	むくみ型	精神不安型
○	△	△	◎	×	◎	○	△

こんな体質・症状のときにおすすめ

●吐き気、低気圧の不快症状、高脂血症・狭心症《きょうしんしょう》予防、うつ、消化不良…辛味で水分を発散し、(冷)・(む)の、低気圧症候群（曇りの日の頭痛、関節や古傷の痛みなど）を改善。胸を温め、気を巡らせる作用は、(ス)・(冷)・(血)の冷えて血行が悪い狭心痛を和らげます。

こんな体質・症状のときは控えめに

●胸焼け、胃粘膜の炎症、のぼせ、目の充血、鼻血…温め発散させる食効がニンニクに次いで強く、炎症や体上部の出血をひどくさせます。(食)・(ス)・(乾)でこれらの症状があるときは避けましょう。

相性のよい食材

●**唐辛子、カレー、みょうが**…水分を発散し、温める作用を高めます。●**青魚、納豆**…血をサラサラにする食効を高めます。●**酢、きゅうり、豆腐、黒砂糖**…冷やし、潤す食材を合わせ、温め、発散させる食効の行き過ぎを防ぎます。

おすすめレシピ

●**らっきょうのたれ【低気圧症候群、吐き気、高脂血症・血栓予防に】**…①生らっきょう3個とみょうが2個、ハム2枚を細切りにする。②①にごま油、ラー油、塩少々を合わせる。
※うどんやラーメンにのせてもよいが、生食で作用が強いときは豆腐やきゅうりとともに。

●**タルタルソース【冷え、疲れ、うつに】**…①甘酢漬けらっきょう8個、ゆで卵2個をみじん切りにする。②①をマヨネーズ大さじ8と混ぜ合わせる。

●余分なものを排出し、元気に

しいたけ

旬●春、秋　体温への影響●涼　性質●降　影響する臓器●肺、肝臓、膵臓

疲れ型	食べ過ぎ型	ストレス型	冷え型	乾燥型	血行不良型	むくみ型	精神不安型
○	○	○	△	○	○	○	○

こんな体質・症状のときにおすすめ

●疲労、夏バテ、のぼせを伴う高血圧・高脂血症・がん予防…気を補い、(疲)の疲労に適します。一方で、(食)・(血)・(む)に多く見られる血の汚れや余分なものを排出する食効を持ち、浄血による抗がん作用も期待できます。胞子に食効があるので洗わないで調理します。

こんな体質・症状のときは控えめに

●冷えによる下痢《げり》、胃腸虚弱…冷やし、排出する食効があるため、(冷)には向きません。食物繊維が多いため、特に下痢には避けて。干ししいたけの戻し汁をだし汁として使いましょう。

相性のよい食材

●**青菜、ポン酢、大根**…余分なものを排出する食効を高めます。●**卵、肉類、魚介類、きのこ類**…気を増やす食効を増強します。●**油、肉類、カツオブシ、じゃがいも、たまねぎ**…血や気を補い、温めるため、冷やし排出し過ぎを防ぎます。

おすすめレシピ

●**しいたけとチンゲン菜のおひたし【のぼせを伴う高血圧・高脂血症・がん予防に】**…①しいたけはトースターなどで焼く。チンゲン菜はさっとゆでておく。②①を食べやすい大きさに切り、わさびを溶いためんつゆで和える。(疲)・(冷)はわさびの代わりにごまを加えて。

●**しいたけの卵とじ【疲れ、夏バテに】**…①しいたけをスライスし少量の菜種油で炒め、めんつゆで煮る。②溶き卵を流し、三つ葉をのせてフタをし、余熱で調理する。

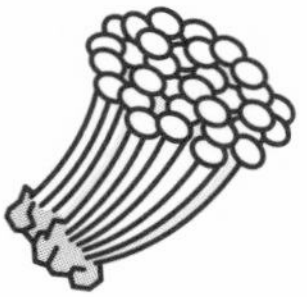

●余分な脂質を代謝する

えのき・しめじ

旬●秋　体温への影響●涼　性質●降　影響する臓器●腎臓、肺、脾臓

疲れ型	食べ過ぎ型	ストレス型	冷え型	乾燥型	血行不良型	むくみ型	精神不安型
△	◎	○	△	○	○	○	○

こんな体質・症状のときにおすすめ

●便秘、肌荒れ、熱感を伴う高血圧・高脂血症の予防…排出する食効を持つため、老廃物をためやすい(食)・(む)に向きます。えのきは便秘、しめじは肌荒れの改善が得意。双方ともに浄血し、体の中をきれいにしてくれます。

こんな体質・症状のときは控えめに

●冷えによる下痢《げり》、胃弱…冷やし、余分なものを排出する食効は、(疲)・(冷)の胃腸虚弱には向きません。食物繊維が多いため、下痢には避けたほうがよいでしょう。スープなどのだしとして使いましょう。

相性のよい食材

●**青菜、ポン酢、大根、きのこ類**…余分なものを排出する食効を増強します。●**油、肉類、カツオブシ、卵、チーズ、たまねぎ**…血や気を補い、温める食材を合わせ、冷やし排出し過ぎを防ぎます。

おすすめレシピ

●**えのきとしめじのおろし和え【高血圧・高脂血症・がん予防に】**…①えのき・しめじは食べやすく切る。②大根をおろし、軽くしぼった汁で①を蒸す。③②を醤油・めんつゆで味つけし、おろしをのせる。お好みでわさびを添えて。

●**えのきとしめじのチーズ焼き【美肌に】**…①えのき・しめじを食べやすい大きさに切り皿に盛りつける。②①の上から溶けるチーズをのせて、トースターなどで焼く。③レモン汁をかける。※胞子を生かすため、洗わず調理する。

●温め、五臓を助けるきのこ

まいたけ

旬●春、秋　体温への影響●微温　性質●降　影響する臓器●脾臓

疲れ型	食べ過ぎ型	ストレス型	冷え型	乾燥型	血行不良型	むくみ型	精神不安型
○	○	○	△	○	○	○	○

こんな体質・症状のときにおすすめ

●疲労、肌荒れ、高脂血症・糖尿病・がん予防…五臓を助け、気を増やし、疲労を回復するので、㊢に向きます。(食)・(血)・(む)に多い血の汚れや余分なものを排出する食効を持ち、浄血による抗がん作用も期待できます。他のきのこに比べて体を冷やしません。

こんな体質・症状のときは控えめに

●冷えによる下痢《げり》…温め、気を補うとはいえ、食物繊維が豊富なので、下痢などの(冷)の症状には避けたほうがよいでしょう。

相性のよい食材

●**きのこ類、とうがん、ポン酢、青菜**…余分なものを排出する食効を増強します。●**鶏皮、卵、ごま、厚揚げ、魚肉練り製品、ぎんなん、やまいも**…気や血や精を補う食材で、排出のし過ぎを防ぎます。

おすすめレシピ

●**きのこのかぶら蒸し【のぼせを伴う高血圧、高脂血症、がん予防に】**…①まいたけとお好みのきのこを食べやすく切って、フタつき茶碗に入れる。②かぶをすりおろし、卵白1個分を加えてよく混ぜる。③①に②を入れて、蒸す。④醤油、すだち、かぼすをかける。

●**まいたけと鶏皮の炊き込みご飯【疲労、美肌に】**…①米3合はいつも通りに水加減し、ほぐしたまいたけ、刻んだ鶏皮を入れる。②醤油・酒・みりん各大さじ3、塩少々を加えてひと混ぜし、炊く。

●肺を潤し若さを取り戻す

黒きくらげ・白きくらげ

旬●春、秋　体温への影響●涼　性質●潤　影響する臓器●肝臓、肺、脾臓

疲れ型	食べ過ぎ型	ストレス型	冷え型	乾燥型	血行不良型	むくみ型	精神不安型
○	○	○	△	◎	○	○	○

こんな体質・症状のときにおすすめ

●粘膜の乾燥炎症（黒は痔、涙目、貧血、便秘。白は空咳《からぜき》、乾燥肌）…肺を潤す作用があり、(乾)の水分不足による粘膜の炎症に向きます。黒きくらげは目と関連する肝臓と大腸に影響して血を増やすので、涙目と便秘に、白きくらげは皮膚《ひふ》と関連する肺に影響するので、乾燥肌と空咳に有効です。

こんな体質・症状のときは控えめに

●むくみ、冷えによる下痢《げり》…白きくらげは潤す力が顕著なため、(冷)は向きません。黒きくらげは繊維が豊富なので、冷えが原因の下痢には不向きです。

相性のよい食材

●**きゅうり、酢、砂糖**…潤す食効を増強します。黒きくらげは「青菜」と、白きくらげは「フルーツ」と好相性です。●**ごま、卵、黒砂糖**…気を増やし、血や気を補う食材と合わせ、排出し過ぎを防ぎます。

おすすめレシピ

●**黒・白きくらげときゅうりのごま酢【粘膜の乾燥炎症に】**…①きくらげ、きゅうりを細切りにする。②酢・すりごま各大さじ3、砂糖大さじ2、塩少々を混ぜ①を和える。

●**黒きくらげと小松菜の卵炒め【貧血に】**…①黒きくらげと小松菜をごま油でさっと炒めて、塩で味つけする。②溶いた卵を回し入れ、加熱する。

●**白きくらげのフルーツポンチ【乾燥肌、空咳に】**…①白きくらげを水で戻して加熱し、一口大に切る。②旬の果物を合わせ、蜂蜜をかける。

●体を温め、活力をつける

ニンニク

旬●春　体温への影響●熱　性質●昇、散　影響する臓器●胃、大腸、肺

疲れ型	食べ過ぎ型	ストレス型	冷え型	乾燥型	血行不良型	むくみ型	精神不安型
○	△	△	◎	×	○	○	△

こんな体質・症状のときにおすすめ

●うつ、朝起きられない、低気圧症候群、冷え、血栓予防…ねぎ類の中で最も辛味や温める作用が強く、活力をつけます。抜群の食効で、(疲)・(ス)・(冷)・(血)・(む)に起きやすいこれらの症状を改善。特に、うつ、やる気のなさ、朝寝坊にはぴったり。

こんな体質・症状のときは控えめに

●胸焼け、胃粘膜の炎症、のぼせ、目の充血、鼻血…温め、気や血を昇らせ、発散する食効が(食)・(ス)・(乾)に炎症や、体上部の出血、イライラがあるとき、それを悪化させます。使用は避けましょう。

相性のよい食材

●**唐辛子、納豆、青魚、しょうが、ねぎ、肉類**…血流をよくする食効を高めます。●**レモン、酢、なす、トマト、きゅうり、レタス**…冷やし、潤し、引き下げる食材を合わせ、温め、発散させ、血や気を昇らせる食効を軽減します。

おすすめレシピ

●**ニンニクのごま塩だれ【冷え、低気圧症候群、朝寝坊、無気力に】**…①おろしたニンニク4片分、ごま油大さじ4、刻んだごま大さじ1、塩小さじ1を合わせる。②焼いた肉や野菜をつけて。

●**ニンニクトマトそうめん【ストレス、血行不良、血栓、ピロリ菌予防に】**…①トマト1缶分におろしニンニク小さじ1、塩小さじ1／2、菜種油大さじ1を混ぜ合わせる。②だし汁を加え、冷蔵庫で冷やす。③ゆでたそうめんにかける。

●寒い風邪と吐き気の妙薬

しょうが

旬●晩夏〜秋　体温への影響●温　性質●昇、散　影響する臓器●胃、大腸、肺

疲れ型	食べ過ぎ型	ストレス型	冷え型	乾燥型	血行不良型	むくみ型	精神不安型
○	○	△	◎	×	○	○	△

こんな体質・症状のときにおすすめ

●寒気を伴う風邪のひき始め、肩こり、吐き気、乗り物酔い、高山病、低気圧症候群、つわり、透明で薄い痰《たん》、咳《せき》…温める辛味で、(疲)・(冷)・(血)・(む)の冷えや水分過剰を発散し、風邪が侵入するのを防ぎます。水分停滞が原因の乗り物酔いや高山病、低気圧症候群、つわりの吐き気や頭痛によく合います。

こんな体質・症状のときは控えめに

●空咳《からぜき》、のぼせ、目の充血、胸焼け、胃粘膜の炎症…温め発散し、気や血を昇らせる食効が、(食)・(ス)・(乾)の炎症や体上部の出血、イライラには不適応。痰がない咳には向きません。

相性のよい食材

●**しそ、ねぎ、唐辛子、ニンニク、肉類、魚類**…水分を発散する食効や、温め、血流をよくする食効を高めます。●**酢、なす、レモン、きゅうり**…冷やし、潤し、気を引き下げる食材を合わせ、温め、発散させ、気を昇らせる作用を軽減します。

おすすめレシピ

●**ゆかりしょうが【冷え、低気圧症候群、乗り物酔い、つわり、高山病、透明な痰、咳に】**…①清潔な瓶にしょうが大1個分薄切り、ゆかり大さじ1弱、酢・塩少々を入れ、混ぜる。冷蔵庫で半日寝かせる。

●**しょうが葛湯【寒気を伴う風邪のひき始め、肩こりに】**…①椀に葛粉（片栗粉でも可）を入れ、少量の水で溶き、皮ごとおろしたしょうが、砂糖を混ぜる。②①に沸騰したての熱湯を、箸などでかき混ぜながら少しずつ注ぐ。透明に仕上げる。

●口内炎や生理痛のイライラを忘れる

みょうが

旬●夏　体温への影響●平　性質●散　影響する臓器●肺、大腸、膀胱

疲れ型	食べ過ぎ型	ストレス型	冷え型	乾燥型	血行不良型	むくみ型	精神不安型
○	◎	◎	△	△	◎	○	△

こんな体質・症状のときにおすすめ

●生理不順、生理痛、口内炎、イライラ、おでき、にきび、食べ過ぎ…爽《さわ》やかな歯触りと香り、辛味で、気血の巡りをよくし、ホルモンバランスを整え(ス)・(血)の生理不順や生理痛に合います。さっぱりさせ、老廃物の固まりを排出するので、(食)の口内炎やにきび、しこりにも合います。

こんな体質・症状のときは控えめに

●冷えによる下痢《げり》、胃腸虚弱…食物繊維が多いので、(冷)が下痢する場合は避けましょう。辛味が水分を発散するので(乾)にも不向き。

相性のよい食材

●**しょうが、たまねぎ、しそ、青魚、なす、トマト、セロリ**…発散し、血をサラサラにし、ストレスを取る食効を高めます。●**ごま、卵、油**…温め血を補う食材を合わせ、発散・排出する食効の行き過ぎを防ぎます。

おすすめレシピ

●**みょうがかきたま汁【生理痛、生理不順、関節痛に】**…①だし汁を沸騰させ、水溶き片栗粉でとろみをつける。②溶き卵に水少量を加えてよく混ぜ、①に流し入れる。③塩少々で味を調えたら火をとめ、みょうがの千切り、しょうが汁を加える。

●**夏野菜のみょうが梅酢サラダ【口内炎、イライラ、血行不良、生理痛、生理前の胸の張り、食べ過ぎに】**…①みょうがはみじん切りにし、水と煮切りみりんでお好みに伸ばした梅酢に漬けておく。②トマト、セロリ、レタスなどお好みの生野菜にかける。

●解毒と、ストレス解消に

しそ

旬●夏　体温への影響●平　性質●散　影響する臓器●肺、大腸、膀胱

疲れ型	食べ過ぎ型	ストレス型	冷え型	乾燥型	血行不良型	むくみ型	精神不安型
○	○	◎	○	△	◎	○	○

こんな体質・症状のときにおすすめ

●風邪のひき始め、ストレス、のどのつまり、胃腸の不調、吐き気、魚介の中毒…香りで気を巡らせ、心を爽《さわ》やかにするので、(ス)に合います。辛味は余分な水分を発散させ、(疲)・(食)・(冷)・(む)の胃の中の水や痰《たん》を排出し、消化や痰の除去に働きます。寒気を散らすので風邪のひき始めにもどうぞ。

こんな体質・症状のときは控えめに

●下痢《げり》、乾燥…繊維が多いため、下痢《げり》には避けて。発散するので乾燥症状にも不向き。(乾)は酸味や甘味と合わせましょう。しそジュースなら合います。

相性のよい食材

●**しょうが、みょうが、ねぎ**…水分や寒気の発散を助けます。●**なす、トマト、イカ、タコ**…肝臓を助けストレスを取る食効を高めます。●**ごま、味噌、油、砂糖、酢**…発散する食効の行き過ぎを防ぎます。

おすすめレシピ

●**しそシロップ【目の疲れ、ストレス、痰、咳に】**…①沸騰した2ℓの湯に、赤しそ150gを入れ再沸騰させる（しそを金属製のザルに入れ、ザルごと煮ると楽）。②かき混ぜてザルを引き上げ、火をとめる。③砂糖1kgを②に溶かし冷ます。④りんご酢300mℓを加え完成。冷蔵庫で保存。

●**しそ味噌【胃腸の不調、吐き気に】**…①しそは千切りにし、菜種油でさっと炒める。②①にしょうがのみじん切りを加え、味噌、みりん、砂糖で味つけする。

●魚介ならわさび、肉類ならクレソン

わさび・クレソン

旬●夏　体温への影響●平　性質●散　影響する臓器●肺、脾臓

疲れ型	食べ過ぎ型	ストレス型	冷え型	乾燥型	血行不良型	むくみ型	精神不安型
△	◎	◎	△	△	○	○	△

こんな体質・症状のときにおすすめ

●消化不良、食欲不振、痰《たん》、胃がん予防、白目の充血、鼻血…魚介の消化はわさび、肉の消化はクレソンが向きます。昔から辛味餅やお茶漬けなどにも用いられ、米の消化を助ける作用も顕著。(食)・(む)に向きます。解毒・浄血して、熱毒による充血を防ぐので、頭部の出血傾向を改善します。

こんな体質・症状のときは控えめに

●冷え、胃腸虚弱、乾燥…解毒し浄血する食効や辛味は、排出・発散するので、気や潤いを補いたい(疲)・(冷)・(乾)に不向き。わさびソフトクリームならば(乾)には合います。

相性のよい食材

●**青菜、ねぎ、三つ葉、そば**…発散し、解毒・浄血し、痰を取る食効を高めます。●**鶏肉、ごま、魚介類**…血や気を補う食材で、排出と発散のし過ぎを防ぎます。

おすすめレシピ

●**わさび入り大根おろし【食べ過ぎ、痰、咳、白目充血、鼻血、胃がん予防に】**…①大根おろしにわさびをすりおろして混ぜ合わせる。②お好みでシラスなどを加え醤油をかける。※わさびと生の大根は食毒を消す最強の組み合わせですが、冷やす食効も強いため、胃が冷えるときは避けて。

●**クレソンと鶏肉のしゃぶしゃぶ【食べ過ぎて胃腸がもたれるときに】**…①鍋に昆布1切れと水、塩少々を入れ沸騰させる。②弱火にし、鶏肉を入れて、火が通ったらクレソンをしゃぶしゃぶする。③わさび醤油がおすすめ。

●香りで心身ともにスッキリ！

せり・パセリ・三つ葉

旬●春　体温への影響●涼　性質●降　影響する臓器●肝臓、胃、腎臓

疲れ型	食べ過ぎ型	ストレス型	冷え型	乾燥型	血行不良型	むくみ型	精神不安型
△	◎	◎	△	△	○	○	○

こんな体質・症状のときにおすすめ

●ストレス、イライラ、消化不良、食べ過ぎ、高脂血症・高血圧の予防、排尿痛…セリ科特有の香りとシャキシャキの歯ごたえが(ス)のイライラを解消。老廃物がたまりやすい(食)・(む)の解毒・消化を助けます。特に春の七草、せりは(食)に多い熱毒性の風邪予防、下半身の消炎にぴったり。パセリは浄血に働きます。

こんな体質・症状のときは控えめに

●冷え、胃腸虚弱、乾燥…解毒し浄血する食効や生食すると感じる辛味は、余分なものを排出・発散します。気や血を補いたい(疲)・(冷)・(乾)には不向きです。

相性のよい食材

●**そば、にんじん、セロリ、わさび、ねぎ、しょうが**…気を巡らせ、発散する食効や、解毒・浄血する食効を高めます。●**鶏肉、魚介類、油、ごま**…気や血を補う食材で、発散・排出の行き過ぎを防ぎます。

おすすめレシピ

●**せりそば【ストレス、イライラ、食べ過ぎ、炎症、高脂血症・高血圧の予防に】**…①せり（または三つ葉）は1㎝程に切る。②熱しためんつゆにゆでたそばを入れ、①を多めにのせる。※胃腸の冷えや疲労時は、鶏肉を入れて。

●**パセリとたまねぎのかき揚げ【五月病、気力不足に】**…①パセリ、たまねぎを食べやすい大きさに切る。②小麦粉に冷水、卵を手早く混ぜ、衣をつくる。③①を合わせ、180℃の高温でカラッと揚げる。ゆず塩がおすすめ。

第6章

果物

●油物の消化を助け、胃腸が疲労回復

りんご

旬●秋　体温への影響●涼　性質●降、潤　影響する臓器●すべて

疲れ型	食べ過ぎ型	ストレス型	冷え型	乾燥型	血行不良型	むくみ型	精神不安型
△	◎	◎	△	○	○	○	○

こんな体質・症状のときにおすすめ

●油物による胃もたれ、便秘、下痢《げり》、ストレス、高脂血症、高血圧の予防…香りで気を巡らせ、イライラを解消。便秘にも下痢にも合い、油物、肉類の消化を助けるため、老廃物の多い(食)・(む)に最適。りんごの酸味は肝臓を元気にするので、高脂血症・高血圧の予防も期待できます。

こんな体質・症状のときは控えめに

●冷え、胃腸虚弱…消化不良による慢性下痢《げり》によいのですが、(疲)・(冷)の胃腸が弱ったときの下痢には向きません。加熱調理して温かいうちにどうぞ。

相性のよい食材

●**レモン、酢、梅、プルーン、寒天、生野菜**…気を巡らせて肝臓を助け、便通をよくします。●**シナモン、にんじん、いも類、肉類、小麦粉、バター、紅茶**…温め、血や気を補うため、りんごの冷やす食効を軽減します。

おすすめレシピ

●**りんごのスムージー【イライラ、油っこいものの食べ過ぎ、口内炎、上部の充血、がん予防】**…①皮ごと切ったりんご・梅シロップ（129ページ参照）をミキサーにかける。※(冷)はシナモンを加え、加熱してホットで。

●**フレッシュアップルティー【ストレスに】**…①適量の紅茶葉とともに、刻んだりんごの皮1個分をティーポットに入れる。②沸騰したての湯を入れて蒸らす。※皮の成分も摂れ、気がよく巡ります。

●肺を潤し、痰・咳を解消

なし

旬●秋　体温への影響●寒　性質●潤、降　影響する臓器●肺、胃

疲れ型	食べ過ぎ型	ストレス型	冷え型	乾燥型	血行不良型	むくみ型	精神不安型
△	○	◎	×	◎	○	△	○

こんな体質・症状のときにおすすめ

●のどの渇《かわ》き、黄色い痰《たん》、咳《せき》、声枯れ、夏バテ、口内炎、イライラ…潤し、冷やす作用が強いので、(乾)に適し、熱中症や糖尿病ののどの渇きを改善します。体の上部の熱を冷まし、黄色い痰を潤して溶かすため、(ス)のイライラ、(食)の口内炎、痰に向きます。

こんな体質・症状のときは控えめに

●透明でサラサラな痰、咳、冷え、胃腸虚弱、下痢《げり》…咳や痰を鎮《しず》める作用がありますが、体を冷やして潤すため、(疲)・(冷)に多い水分過剰による痰・咳には逆効果。胃腸虚弱による下痢にも不向きなので、加熱してどうぞ。

相性のよい食材

●**りんご、れんこん、蜂蜜、白きくらげ、バナナ、酢**…炎症を鎮め、咳・痰を緩和する食効を高めます。●**シナモン、黒砂糖、ごま、肉類、しょうが**…温め・気を補うため、冷やす食効を軽減します。

おすすめレシピ

●**なしとれんこんの咳どめスムージー【胸の痛みを伴う咳、血の混じった痰、黄色い痰、咳、空咳、イライラに】**…①ミキサーに皮ごと切ったなし、れんこん、ゆず、蜂蜜を入れる。②水を加え、ミキサーにかける。※発作時に飲む。

●**なしとりんごの焼肉のたれ【肉類の消化促進、口内炎予防に】**…①なし、りんご各1個、醤油400cc、酒100cc、しょうが1片、ニンニク4片、蜂蜜大さじ1をミキサーにかける。②冷蔵庫で保存し、肉にもみ込んで使用する。

●渇《かわ》きを潤し、腎臓を助けて利尿する

すいか

旬●夏　体温への影響●寒　性質●降、潤　影響する臓器●心臓、胃、膀胱、腎臓

疲れ型	食べ過ぎ型	ストレス型	冷え型	乾燥型	血行不良型	むくみ型	精神不安型
△	◎	○	×	◎	○	○	○

こんな体質・症状のときにおすすめ

●むくみ、尿の濁《にご》り、口内炎、熱中症・高血圧の予防…腎臓の天然薬といわれ、強い炎症の消去・利尿効果で熱感を伴う(む)に向きます。潤す作用も強く、皮には(食)・(乾)に多い糖尿病ののどの渇《かわ》きをとめる効果があります。

こんな体質・症状のときは控えめに

●冷えを伴うむくみ、胃腸虚弱、下痢《げり》…同じむくみでも、冷えるむくみには逆効果。下痢するときも控えましょう。加熱調理や、すいか糖（下の「おすすめレシピ」を参照）にすると作用の行き過ぎが軽減されます。

相性のよい食材

●**糖類、とうがん、きゅうり、とうもろこし**…肺を潤し、炎症を鎮め、利尿する作用を増強します。●**鶏肉、塩、しょうが**…温め、気を補うため、冷やす食効を軽減します。

おすすめレシピ

●**すいか糖【腎臓の弱りに】**…①皮・種つきのまま、すいかをミキサーにかける。②①をザルでこして鍋に入れ、中火で水あめ状になるまで加熱する。③冷めたら清潔な瓶に入れ、冷蔵庫へ。

●**すいかの皮のあんかけ【むくみ、糖尿病予防に】**…①すいかの皮は緑色の部分だけをそぎ取り、さいの目に切る。②鶏ひき肉に塩少々、しょうが汁を加えて団子をつくる。③①を鍋に入れ、ひたひたになるくらいの水で煮込み、柔らかくなったら②を入れる。④団子に火が通ったら水溶き片栗粉でとろみをつける。

●酸味でもれを止め、血をきれいにする

梅

旬●初夏　体温への影響●平　性質●降、収　影響する臓器●肝臓、膵臓、肺、大腸

疲れ型	食べ過ぎ型	ストレス型	冷え型	乾燥型	血行不良型	むくみ型	精神不安型
△	◎	◎	△	○	○	△	○

こんな体質・症状のときにおすすめ

●感染性の下痢《げり》、嘔吐《おうと》、空咳《からぜき》、尿もれ、汗かき、イライラ、肩こり、食欲不振に…強い酸味で抗菌・もれ出るものをとめるため、感染性の症状やもれ出る症状に向きます。また、爽《さわ》やかな香りで気を巡らせて、㋜に多いのどの詰まりを解消させます。

こんな体質・症状のときは控えめに

●初期の風邪、冷え、胃腸虚弱…もれ出るのをとめる作用は、発散して治したい風邪のひき始めには逆効果です。また酸味は(疲)・(冷)や弱った胃腸に合いません。少量にしてしょうがやねぎとともに料理しましょう。

果物

相性のよい食材

●**レモン、酢、プルーン**…気を巡らせて潤す食効を高めます。●**しょうが、シナモン、にんじん、紅茶、肉魚類、酒類**…水を増やす作用を軽減します。

おすすめレシピ

●**梅シロップ【のどの詰まり、イライラ、汗かき、筋肉疲労、肩こり、ドロドロ血に】**…①大きめの瓶に少量のアルコールを吹きかけて消毒する。②青梅1kgと氷砂糖1kgを交互に入れて密閉し、冷暗所に保存する。③毎日瓶を振り、約1週間で完成。

●**梅肉エキス【感染性の下痢、腹痛、嘔吐、尿もれ、肩こりに】**…①青梅は、厚手のビニール袋に入れ、麺棒でたたき、種から外しておく。②①を細かく切ってミキサーにかけ、布で果汁をこす。③②を中火で水あめ状になるまで加熱する。④清潔な瓶で保存する。

●ストレスと風邪予防、黄色い痰・咳に

みかん

旬●秋～冬　体温への影響●平　性質●潤　影響する臓器●肺、脾臓

疲れ型	食べ過ぎ型	ストレス型	冷え型	乾燥型	血行不良型	むくみ型	精神不安型
△	○	◎	△	◎	○	△（皮は○）	○

こんな体質・症状のときにおすすめ

●ストレス、イライラ、黄色い痰《たん》、咳《せき》、乳腺炎、口内炎、風邪予防、胃腸の弱り（皮）…香りで気を巡らせ、心身を爽《さわ》やかにします。(食)・(ス)の体の循環の悪さが解消され、炎症が解消されます。

こんな体質・症状のときは控えめに

●初期の風邪、透明でサラサラな痰、冷え、下痢《げり》…潤し・もれ出るものをとめるので(疲)・(冷)の水分過剰による痰・咳や、辛味で発散して治したい風邪のひき始めには逆効果です。干した皮（陳《ちん》皮《び》）は、温め、辛味で発散する食効があります。(疲)・(冷)・(む)は皮を使いましょう。

相性のよい食材

●**ゆず、りんご、大根、かりん**…潤し、炎症を鎮める食効を高め、咳・痰を緩和します。●**しょうが、シナモン、たまねぎ**…温め、気を補うため、冷やす食効を軽減します。

おすすめレシピ

●**みかんとゆずのシロップ【ストレス、黄色い痰、咳、空咳に】**…①みかんの実は細かく切り、皮は千切りにする。②ゆずは黄色い皮のみをむいて千切りにし、果汁はしぼっておく。③すべてを鍋に入れ、砂糖を加えてひと煮立ちさせる。

●**みかんの万能たれ【消化促進、風邪、口内炎予防に】**…①みかん半分は皮をみじん切りに、果汁はしぼっておく。②大根おろし150g、みじん切りたまねぎ中半分、おろししょうが1片分、醤油250cc、みりん・酢各大さじ1を合わせる。湯豆腐や水たきに。

●咳《せき》や出血をとめ、酒をさます

柿

旬●秋　体温への影響●寒　性質●降、収、潤　影響する臓器●肺、心臓、大腸

疲れ型	食べ過ぎ型	ストレス型	冷え型	乾燥型	血行不良型	むくみ型	精神不安型
△	○(干し柿は△)	○	×	◎	○	△	○

こんな体質・症状のときにおすすめ

●乾燥した咳《せき》、黄色い痰《たん》、血の混じる咳、熱性の下痢《げり》、夜尿症《やにょうしょう》、飲み過ぎ、口内炎、痔の出血…渋みが、もれ出るものを止め、熱性の下痢、夜尿症、痔の出血を改善します。潤し熱を冷まし、解毒する食効は、(食)・(乾)ののどの渇《かわ》きや熱感をとめ、酒を解毒します。

こんな体質・症状のときは控えめに

●透明でサラサラな痰、冷え、胃腸虚弱、冷えによる下痢…体を冷やして潤すので、(疲)・(冷)に多い水分過剰による痰・咳には逆効果です。冷えによる下痢にも向きません。干し柿がよいでしょう。

相性のよい食材

●**蜂蜜、酢、大根、バナナ、牛乳**…乾燥を潤し、炎症を鎮め、咳・痰を緩和する食効を高めます。●**シナモン、しょうが、くるみ、ごま、落花生**…温め、気を補うため、冷やす食効を軽減します。

おすすめレシピ

●**柿なます【黄色い痰、咳、イライラ、口内炎に】**…①固めの柿を皮つきで千切りにする。大根も皮ごと千切りにする。②①に練りごままたは落花生の粉を合わせ、酢と蜂蜜で味を調える。

●**柿プリン【乾燥、空咳、精神不安に】**…①熟した柿を皮ごとミキサーにかける。②牛乳、コンデンスミルクを加えて混ぜる。③容器に入れ、冷蔵庫で冷やし固める。

●**干し柿【下痢、痔出血、咳に】**…①渋柿の皮をむいてひもでつるして干し、寒風にさらす。

●しわがれ声、いぼ痔、腫《は》れ物を改善

いちじく

旬●秋　体温への影響●平　性質●潤　影響する臓器●肺、膵臓、胃、大腸

疲れ型	食べ過ぎ型	ストレス型	冷え型	乾燥型	血行不良型	むくみ型	精神不安型
○	○	○	○	◎	○	○	○

こんな体質・症状のときにおすすめ

●のどの痛み、しわがれ声、空咳《からぜき》、痔、脱肛《だっこう》、胃腸の弱り、胃潰瘍《いかいよう》・ポリープ・糖尿病・高血圧の予防…甘味と潤いが、(乾)の粘膜の炎症と乾燥を和らげます。(疲)・(冷)の落ちるものを上げ、痔や、脱肛に適します。解毒力に優れ、(食)に多い炎症による腫れ物を改善します。

こんな体質・症状のときは控えめに

●下痢《げり》…胃腸虚弱にも有効な偏りのない、万能の果実ですが、繊維質のものを食べると下痢する場合には慎重に。ジャムにするとよいでしょう。

相性のよい食材

●**豆乳、レモン、ヨーグルト**…肺を潤し、炎症を鎮める食効を高めます。

●**シナモン、黒砂糖、くるみ、紅茶、生ハム**…温め、気を補うため、胃の気を増やす食効を増強し、排出の行き過ぎを軽減。

おすすめレシピ

●**いちじくヨーグルト【粘膜の乾燥、のどの痛み、空咳、胃潰瘍の予防に】**…①皮ごと切ったいちじくをヨーグルトに合わせる。②お好みで蜂蜜をかける。※皮に食効があるので皮ごと調理する。

●**いちじくとくるみの豆乳シリアル【イボ痔、脱肛に】**…①いちじくは皮ごと大きめの角切りにする。くるみは煎って砕く。②シリアルに①を加え、豆乳を注ぐ。

●目の疲れによい青い果物

ぶどう・ブルーベリー

旬●夏〜秋　体温への影響●平　性質●潤　影響する臓器●肺、膵臓、肝臓、腎臓

疲れ型	食べ過ぎ型	ストレス型	冷え型	乾燥型	血行不良型	むくみ型	精神不安型
○	○	○	○	◎	○	○	◎

こんな体質・症状のときにおすすめ

●ドライアイ、目の疲れ、ストレス、老化、動脈硬化予防…東洋医学では、青い色は肝臓に働きかけて、現代人の目を助けるとされています。(ス)・(乾)・(精)に多い目の症状に向きます。老化に関わる腎臓を助ける食効もあり、老化防止にも効果的。ぶどうは血を増やし(疲)・(精)に向き、ブルーベリーは血をきれいにして血流を促し(食)・(血)・(む)に向きます。

こんな体質・症状のときは控えめに

●繊維による下痢《げり》…平性で体温への影響も少なく、腎臓を助ける性質の果実ですが、繊維で下痢する場合には慎重に。ジャムで少量ならよいでしょう。

相性のよい食材

●**セロリ、レモン、ヨーグルト、酢、しそ**…肝臓を助け、イライラやストレスを取る食効を増します。●**紅茶、プルーン、くるみ、ごま**…温め・血や気を補うため、排出の行き過ぎを軽減します。

おすすめレシピ

●**干しぶどうとにんじんのサラダ【目の疲れ、乾燥、貧血、精神不安、老化防止に】**…①にんじんは千切りにし、塩もみしておく。②酢、菜種油、ごま、砂糖、塩で味つけし、干しぶどうを入れてかき混ぜる。冷蔵庫で半日程度寝かせる。

●**ブルーベリー酢・巨峰酢【目の疲れ・乾燥、ストレス、イライラ、高血圧予防に】**…①ブルーベリーまたは巨峰を清潔な瓶に入れる。②体積の2倍量の酢を注ぎ、冷蔵庫で半日以上寝かせる。※調味酢、または甘味を加えて飲料としても。

●血の巡りを整える女性に嬉しい果実

桃

旬●夏　体温への影響●温　性質●降、潤　影響する臓器●肺、脾臓、肝臓

疲れ型	食べ過ぎ型	ストレス型	冷え型	乾燥型	血行不良型	むくみ型	精神不安型
◎	○	○	○	○	◎	△	○

こんな体質・症状のときにおすすめ

●生理不順、便秘、食べ過ぎ、ストレス、高脂血症予防…女性の血の道を整える果物。香りで気を巡らせ、血流をよくする働きがあり、(ス)・(血)に適します。(疲)に不足する気を補いながら、(食)の余分なものを排出し、消化を促進。体を労《いた》わりつつ老廃物をためさせません。

こんな体質・症状のときは控えめに

●妊娠中、出血、繊維による下痢《げり》…気を補いつつ排出する食効もある果物なのでバランスがよいのですが、子宮を収縮させるため、妊娠中や、出血傾向があるときは向きません。

相性のよい食材

●**プルーン、ヨーグルト、ワイン、しそ、レモン**…肝臓を助けて浄血し、便通をよくする食効を高めます。●**紅茶、牛乳、シナモン**…温め・気を補う食材で、排出の食効を軽減します。

おすすめレシピ

●**桃とシナモンのヨーグルト【イライラ、便秘に】**…①桃は外側の毛を濡れふきんでふき取り、皮ごと食べやすい大きさに切る。②ヨーグルトに①とシナモンを入れる。

●**桃ミルク【ストレス、不安感、生理前、生理中の心身の疲労に】**…①桃は外側の毛を濡れたふきんでふき取り、皮ごと食べやすい大きさに切る。②牛乳を温め、湯気が立ったら①を入れて加熱し、お好みで練乳を入れる。

●血を補い、老化を防止する

すもも・プルーン

旬●夏　体温への影響●平　性質●降、潤　影響する臓器●肝臓、腎臓

疲れ型	食べ過ぎ型	ストレス型	冷え型	乾燥型	血行不良型	むくみ型	精神不安型
△	○	○	△	○	○	△	◎

こんな体質・症状のときにおすすめ

●貧血、精神不安、肝臓の疲れ、黄色い舌苔《ぜったい》が多いとき、便秘、美肌…酸味が、肝臓から上がるイライラを鎮《しず》め、歯茎出血や白目の充血など、上半身の熱症状を冷まします。血を補う食効は、精神を安定させます。特にプルーンは、浄血作用と補血作用が顕著。(血)・(精)に適します。

こんな体質・症状のときは控えめに

●胃下垂、たるみ、下痢《げり》…生食すると酸味が強く、水分を生じさせるため、気がなくて体内に水が多く、たるみやすい(疲)・(冷)の下垂症状や(む)には不向き。干しプルーンにしましょう。

相性のよい食材

●**すいか、トマト、レモン、にんじん、干しぶどう**…血を増やし、体の余分な熱を冷ます食効を高めます。●**紅茶、シナモン、たまねぎ、くるみ、きな粉**…温め、気を補うため、熱を冷ます食効や排出の行き過ぎを軽減します。

おすすめレシピ

●**夏のフルーツポンチ【イライラ、上部の出血傾向、肝臓や腎臓の疲れ、のどの渇き、精神不安に】**…①すもも、トマト、すいかを一口大に切る。②しそシロップ（122ページ参照）で和える。※暑さで弱りやすい心臓を、夏の赤い色の食材で癒します。

●**プルーンのマリネ【貧血、肩こり、目の奥の疲れ、シミに】**…①清潔な瓶にスライスしたたまねぎ、プルーン、煮干しを入れ、酢を注ぐ。②半日ほど寝かせ冷蔵保存する。

●香りで気を落ち着かせ、咳《せき》をとめる

かりん

旬●秋　体温への影響●平　性質●降、潤　影響する臓器●肺、胃、肝臓

疲れ型	食べ過ぎ型	ストレス型	冷え型	乾燥型	血行不良型	むくみ型	精神不安型
△	○	◎	△	○	○	△	○

こんな体質・症状のときにおすすめ

●喘息《ぜんそく》、黄色い痰《たん》、咳、声枯れ、イライラ、飲み過ぎ…香りと酸味、渋味が上がった気を落ち着かせ、(ス)・(乾)が悪化させやすい、気の逆上による咳や喘息を鎮《しず》めます。香りは皮に、咳どめの成分は種に、酸味や渋みは種の周りのワタにあるので、全体を使用しましょう。

こんな体質・症状のときは控えめに

●透明でサラサラな痰、咳、胃腸虚弱、…水分過剰による痰・咳があるときは過食を避けて。酸味と苦味、渋みは、(疲)・(冷)の胃腸の負担になりやすいので要注意。かりん酒や、黒砂糖でシロップをつくり、ホットでどうぞ。

相性のよい食材

●**なし、ゆず、れんこん、蜂蜜、バナナ、酢、大根**…肺を潤し、炎症を鎮めるので、咳・痰を緩和する食効を高めます。●**シナモン、しょうが**…水分を増やす食効や酸味の行き過ぎを防ぎます。

おすすめレシピ

●**かりんの蜂蜜漬け【とまらない咳、黄色い痰、咳、イライラに】**…①かりんは厚めの輪切りにする。②瓶にアルコールを吹きかけ①を入れ、ひたひたになるくらいに蜂蜜を注ぐ。③瓶を振り全体を混ぜながら1カ月で完成。冷蔵保存する。

●**かりんのコンポート【咳どめ、ストレスに】**…①かりんは皮ごとくし形に切る。②種とワタを取り除く。③鍋に①と種とワタを加え少量の水・砂糖で煮る。④実を取り出し、こした煮汁をかける。刻んだゆずの皮をお好みで加えてもよい。

●潤す作用が、咳《せき》止め・胃もたれに効く

びわ

旬●秋　体温への影響●寒　性質●降、収、潤　影響する臓器●肺、心臓、大腸

疲れ型	食べ過ぎ型	ストレス型	冷え型	乾燥型	血行不良型	むくみ型	精神不安型
○	○	○	△	◎	○	△	○

こんな体質・症状のときにおすすめ

●呼吸器の乾燥、暑気あたり、咳《せき》、痰《たん》、胃もたれ、乾燥肌…甘酸っぱさで潤すとともに、種周辺の渋みで気を降ろします。(乾)の潤い不足、(ス)の咳やゲップ、胃もたれなどに効果的。(食)の黄色い痰や老廃物の排出を助け、吐き気を解消する作用もあります。

こんな体質・症状のときは控えめに

●透明でサラサラな痰、咳、冷え、下痢《げり》…体を涼しくして潤すので、冷えと水分過剰による痰・咳には慎重に。(冷)の下痢、冷えを伴う(む)にも向きません。

相性のよい食材

●**白きくらげ、ヨーグルト、蜂蜜、酢、牛乳**…潤し、炎症を鎮め、咳・痰を緩和する食効を高めます。●**シナモン、ごま、ゆず、みかん**…冷やす食効を軽減し、気を巡らせます。

おすすめレシピ

●**丸ごとびわのシロップ【呼吸器の乾燥、黄色い痰、咳、がん予防に】**…①びわは皮ごと細かく切る。②①をミキサーに入れ、レモン汁を加えてピューレ状にする。③砂糖を入れてジャム状に煮詰める。※種には抗がん作用がありますが、毒があるため、必ず加熱するか、使わないほうがよいでしょう。

●**びわの白和え【粘膜の乾燥、乾燥肌、便秘、不安感に】**…①びわは皮をむき、種を取り除いて細かく刻む。②すりばちでごま、豆腐、砂糖、塩をすり混ぜ、①を和える。

●甘い香りと酸味でイライラを除く

いちご

旬●春　体温への影響●寒　性質●降、潤　影響する臓器●肺、胃、肝臓

疲れ型	食べ過ぎ型	ストレス型	冷え型	乾燥型	血行不良型	むくみ型	精神不安型
○	◎	◎	△	◎	○	△	◎

こんな体質・症状のときにおすすめ

●ストレス性の生理不順・頭痛、イライラ、不安感、黄色い痰《たん》、下痢《げり》、夏バテ…香りと酸味がイライラを鎮《しず》め、(ス)の生理不順や偏頭痛、熱症状を改善。造血を助けるので、(精)の気持ちも安定させます。消化を促し、(食)の老廃物や黄色い痰の排出を助けます。

こんな体質・症状のときは控えめに

●初期の風邪、冷え、胃腸虚弱…酸味でもれ出るものをとめるため、発散して治したいぞくぞくする風邪のひき始めには合いません。体を寒くする性質なので、(冷)は、加熱したジャムにし、パイに包んでどうぞ。

相性のよい食材

●**レモン、酢、寒天、ヨーグルト、蜂蜜**…気を巡らせて肝臓を助ける食効や、潤す食効を高めます。●**紅茶、シナモン、練乳、小麦粉、バター**…温め、気を補う食材で、冷やす食効を軽減します。

おすすめレシピ

●**いちごの蜂蜜漬け【ストレス、黄色い痰、咳に】**…①瓶に少量のアルコールを吹きかける。②いちごを縦半分に切り、瓶に詰める。③蜂蜜をひたひたまで流し入れる。④かき混ぜながら2日で完成。その後は冷蔵庫で保存する。※リラックスタイムの紅茶に。

●**いちごシナモンヨーグルト【イライラ、不安感、ストレス性の生理不順に】**…①いちごを刻む。②①にヨーグルトをかけ、練乳、シナモンパウダーを加える。

●エネルギーとなり、肺・大腸を潤す

バナナ

旬●通年　体温への影響●寒　性質●降、潤　影響する臓器●肺、脾臓、大腸

疲れ型	食べ過ぎ型	ストレス型	冷え型	乾燥型	血行不良型	むくみ型	精神不安型
△	△	○	△	◎	○	○	○

こんな体質・症状のときにおすすめ

●便秘、空咳《からぜき》、疲労、乾燥肌、運動時の栄養補給、胃潰瘍《いかいよう》・高血圧の予防…

肺や胃腸を潤し、高齢者の咳《せき》や便秘、胃腸に向いています。便意はあるのに、コロコロ便しか出ない(乾)の場合にはバナナを常食するとよいでしょう。痔や排便時の出血にも有効。ほてりを伴う運動時の疲れにもぴったりの食材です。

こんな体質・症状のときは控えめに

●冷え、下痢《げり》、舌苔《ぜったい》が多くつくとき…

寒性で潤すので、(冷)で下痢する場合には向きません。ねっとりしてしつこいので、(食)も過食は禁物。(冷)はシナモンやココアパウダーを添えて。

相性のよい食材

●**レモン、蜂蜜、ヨーグルト、なし**…潤し、咳や痰をとめ、便通をよくする食効を高めます。●**いも類、ナッツ類、チョコレート、小麦粉、バター、シナモン**…温め、気を補うため、冷やす食効を軽減。さらに潤いを増強します。

おすすめレシピ

●**バナナとなしのシェイク【空咳、乾燥肌、胃潰瘍・高血圧・熱中症の予防に】**…①バナナ、なしは適当な大きさに切る。②①と豆乳をミキサーにかける。

●**バナナのピーナッツバター【コロコロ便、疲労回復、乾燥肌、運動時の栄養補給に】**…①バナナを細かく刻む。くるみは砕いておく。②ピーナッツバターと和え、パンなどにのせて。※高齢者には全材料と豆乳をミキサーにかけて、ドリンクにすると便通にさらに効果的。

●肉類の消化を助け、老廃物を排出する

パイナップル

旬●通年　体温への影響●平　性質●収、潤　影響する臓器●肺、膵臓、腎臓

疲れ型	食べ過ぎ型	ストレス型	冷え型	乾燥型	血行不良型	むくみ型	精神不安型
△	◎	○	△	○	○	△	○

こんな体質・症状のときにおすすめ

●胃もたれ、便秘、消化不良…豊富な酵素が未消化物の吸収・解毒を助け、油物や肉類の食べ過ぎによる胃もたれに適します。(食)がためがちな脂質や老廃物を排出・浄血するので、高脂血症・高血圧の予防も期待できます。

こんな体質・症状のときは控えめに

●冷えを伴うむくみ、胃腸虚弱、下痢《げり》…エネルギー不足によって水がたまり、たるんでむくんでいるときには酸味とみずみずしさが合いません。消化剤として肉類と調理するとよいでしょう。

相性のよい食材

●**レモン、酢、ヨーグルト、りんご、キウイ、キャベツ**…熱を冷まし、解毒、老廃物の排出を助ける食効を高めます。●**シナモン、蜂蜜、紅茶、肉類**…温め、気を補うため、冷やす食効を軽減します。

おすすめレシピ

●**パイナップルとりんごのコールスロー【肉・脂の消化促進、口内炎、のぼせ、むくみ、便秘、高脂血症・高血圧の予防に】**…①パイナップルは1㎝角に切り、皮つきりんご・キャベツは長さ、幅をそろえて千切りにする。②①にマヨネーズ、ヨーグルトを加えてよく混ぜる。

●**パイン風味のケチャップ【肉料理の消化促進、口内炎・高脂血症予防に】**…①パイナップルの芯1個分をおろし金ですりおろす。②ケチャップを加え、塩で味を調える。※ハンバーグなど、肉料理に。

●イライラ解消。更年期の味方

キウイ

旬●秋、冬　体温への影響●寒　性質●潤、収　影響する臓器●脾臓、腎臓

疲れ型	食べ過ぎ型	ストレス型	冷え型	乾燥型	血行不良型	むくみ型	精神不安型
△	◎	◎	×	○	○	△	○

こんな体質・症状のときにおすすめ

●肉類過食、舌苔《ぜったい》が多い消化不良、更年期障害、痔、尿路結石の予防…肉類の吸収・解毒を助け、浄血し、尿路を清浄に保ちます。その結果、老廃物や結石の排出を促すので、余分なものをためやすい㊎にぴったり。Ⓢのしゃっくりやゲップにも効果的です。

こんな体質・症状のときは控えめに

●冷え、舌苔がなく舌に亀裂があり、胃腸の粘膜が弱っているとき…(乾)で粘膜が弱い場合は、酸が刺激になり胃や腸を荒らすので過食は禁物です。ジャムならよいでしょう。(疲)・(冷)・冷える(む)は避けて。

相性のよい食材

●**レモン、パイナップル、りんご、ヨーグルト**…熱を冷まし、老廃物の排出を助けます。●**蜂蜜、紅茶、肉類、酒**…温め、気を補うため、冷やす食効を軽減します。

おすすめレシピ

●**キウイヨーグルト【消化不良、しゃっくり、更年期の骨の弱り、ストレスに】**…①キウイは皮ごと、みじん切りにする。②①をヨーグルトに混ぜる。※冷えるときはシナモンを加えるとよい。

●**キウイ酒【更年期の緊張感、ストレスに】**…①小さく堅いキウイは、ふきんで皮のひげを取ってからよく洗い、皮ごと半分に切る。②①を清潔な瓶に入れ、ひたひたになるまで35度の焼酎を加え、1カ月熟成させる。お好みで蜂蜜を入れてもよい。※皮に食効があるので皮ごと取り入れて。生食が理想的。

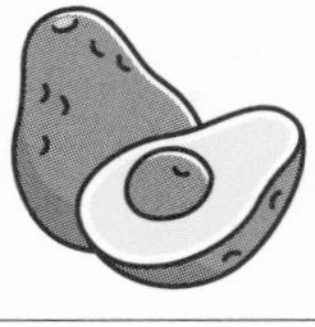

●元気をつけ、顔の色つやをよくする

アボカド

旬●夏　体温への影響●平　性質●降、潤　影響する臓器●脾臓、肺

疲れ型	食べ過ぎ型	ストレス型	冷え型	乾燥型	血行不良型	むくみ型	精神不安型
○	△	○	○	○	○	△	○

こんな体質・症状のときにおすすめ

●便秘、コロコロ便、無気力、肌荒れ、動脈硬化・高血圧の予防…豊富な油脂が腸を潤し、(乾)のコロコロ便を改善。ねっとりした味は胃腸を補い、気を増やすため、(疲)の気力がないときや夏バテにもよく合います。

こんな体質・症状のときは控えめに

●舌苔《ぜったい》が多いとき…ナッツ類のようなコクがあるため、余分なものが多く老廃物がたまっている(食)・(む)は、向きません。排出を促す夏野菜のサラダや、消化を助けるわさび醤油や大根のツマを合わせましょう。

相性のよい食材

●**蜂蜜、ヨーグルト、油、肉類、魚介類**…潤し、元気をつける食効を高めます。●**レモン、トマト、きゅうり、大根、たまねぎ、しょうが、わさび、醤油**…さっぱりさせ、しつこい性質を軽減。

おすすめレシピ

●**和風アボカドディップ【無気力、水腹に】**…①アボカドは皮から出しつぶしておく。②刻んだみょうが、しょうが、ねぎ、ごま油、塩を適量加える。※そうめんやパスタ、冷ややっこに添えて。

●**アボカドサラダ【便秘、コロコロ便、肌荒れ、動脈硬化、高血圧予防に】**…①アボカド、きゅうり、ミニトマトを切り、レモン汁、塩を振っておく。②マヨネーズ・ヨーグルトで味を調える。※アボカドはレモン汁で変色が防げます。

●もれをとめる、更年期の味方

ザクロ

旬●秋　体温への影響●温　性質●収、潤　影響する臓器●肺、腎臓、大腸

疲れ型	食べ過ぎ型	ストレス型	冷え型	乾燥型	血行不良型	むくみ型	精神不安型
△	○	○	△	○	○	△	○

こんな体質・症状のときにおすすめ

●慢性の下痢《げり》、咳《せき》、脱肛《だっこう》、のどの痛み、声枯れ、更年期、骨粗鬆症《こつそしょうしょう》…ザクロは、その渋みで下痢やおりものなどもれ出る症状を留めるのが特徴。潤す作用は、（乾）ののどの炎症をやわらげます。生殖機能や骨にも働きかけるので、閉経が早い方によい食材です。

こんな体質・症状のときは控えめに

●黄色いおりもの、胃腸虚弱…（疲）・（冷）に体質的に見られやすい透明なおりものは引きとめますが、黄色いおりものには不向き。渋みは多量に摂ると、（疲）・（冷）・（乾）の胃腸を傷つけます。市販のザクロシロップはよいでしょう。

相性のよい食材

●**レモン、ゼラチン**…潤い、もれ出るものをとめる食効を高めます。●**豚肉、砂糖**…潤す作用でもれ出るものをとめる行き過ぎをとめます。

おすすめレシピ

●**ザクロ酢【更年期、骨粗鬆症、声枯れ、のどの痛みに】**…①清潔な瓶にザクロの実180g、ワインビネガー200㎖、砂糖50gを入れる。②10日程度漬け込んだら実を取り出す。

●**ザクロ豚【更年期、骨粗鬆症、脱肛に】**…①豚肉の塊をザクロ酢・塩少々で煮込む。②①をスライスし、煮汁をかける。

●**ザクロの皮茶【慢性の下痢、脱肛、白いおりものに】**…①ザクロの皮30g、水500ccを鍋に入れ中火にかける。②沸騰したら弱火にして20分煮て皮を取り出す。③砂糖30gを加え、毎日飲む。

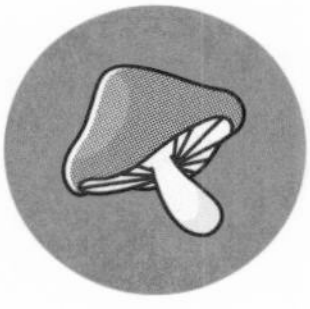

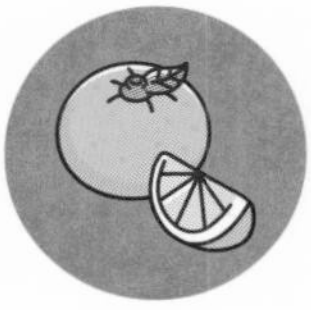

第7章

肉・卵類

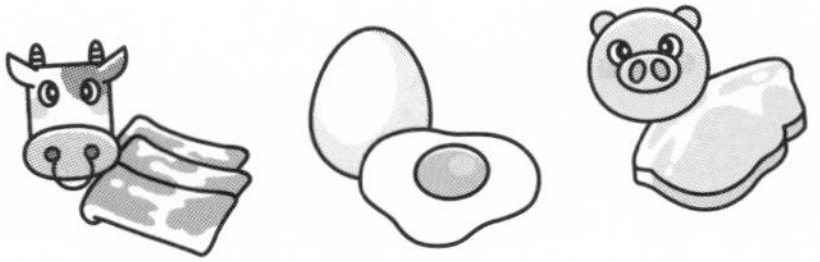

●お腹を温め、気力を充実させる

鶏肉

旬●通年　体温への影響●温　性質●昇、潤　影響する臓器●肺、消化器

疲れ型	食べ過ぎ型	ストレス型	冷え型	乾燥型	血行不良型	むくみ型	精神不安型
◎	△	○	◎	○	○	○（脂は△）	○

こんな体質・症状のときにおすすめ

●胃腸の冷え、無気力、子どもや高齢者の冷え、脱肛《だっこう》、子宮脱《しきゅうだつ》、たるみ、むくみ、貧血…お腹を温める作用に優れ、胃腸の冷えに効果があります。胃腸が冷えると水がたまりやすくなり、余分な水分が増えて臓器が下がりやすくなりますが、鶏肉はこれらの症状を体の中から改善してくれます。

こんな体質・症状のときは控えめに

●消化不良…老廃物が蓄積し、熱感を伴う(食)は、温めて気を補う鶏肉は合いません。クレソンと鶏肉のしゃぶしゃぶ（P123参照）ならよいでしょう。

相性のよい食材

●**しょうが、じゃがいも、ニンニク、山椒、こしょう、ごま**…温め・気力を増やす食効を高めます。●**トマト、きゅうり、きくらげ、梅**…潤う作用を増し、温め、気を補う食効の行き過ぎを防止。

おすすめレシピ

●**鶏肉のステーキ薬味醤油【冷え、無気力、水腹、たるみ、むくみ、脱肛、嘔吐に】**…①鶏肉に塩こしょうと山椒を振り、油を敷かずフライパンで皮から焼いてカリッとした焼き目をつける。②しょうが醤油をかける。

●**チキントマトスープ【乾燥肌、貧血、滋養強壮、精力増強、夏バテに】**…①鶏ガラは叩いて割り、水から煮る。②沸騰したら中火にして30分煮る。③缶詰のトマト、切った生トマトを加えて煮込む。④塩、梅干しで味つけする。

●肉類トップの潤す作用

豚肉

旬●通年　体温への影響●平　性質●潤　影響する臓器●脾臓、胃、腎臓

疲れ型	食べ過ぎ型	ストレス型	冷え型	乾燥型	血行不良型	むくみ型	精神不安型
◎	△	○	○	○	○	○(脂は△)	○

こんな体質・症状のときにおすすめ

●空咳《からぜき》、コロコロ便、便秘、疲労、無気力、貧血…ねっとりした肉質で滋養して潤すため、便秘に適します。虚弱体質の空咳、コロコロ便、便秘に適します。温めも冷やしもせず気と血を補い、肉体疲労の回復や貧血に効果的。美肌をつくります。

こんな体質・症状のときは控えめに

●舌苔《ぜったい》がついているとき…老廃物が蓄積している㊍は、豚肉の潤性が不向き。冷しゃぶにして生野菜を添えましょう。

相性のよい食材

●トマト、りんご、ザクロ、なし、大根、黒豆…潤す食効を高めます。

●シナモン、しょうが、たまねぎ、にら、ねぎ…発散の食材のため、潤う作用の行き過ぎを防ぎ、温める作用を与えます。

おすすめレシピ

●**豚肉とりんごのケチャップ煮【空咳、コロコロ便、便秘、貧血、美肌に】**…①りんごは皮つきでいちょう型にスライスする。②豚肉と①を塩少々で炒める。③火が通ったら、ケチャップ、白ワインを加え、フタをして加熱する。

●**豚肉のニンニク味噌漬け【疲労、無気力、体力回復に】**…①ニンニクをすりおろし、白味噌、酒少々と和える。②豚肉を①に漬け込み、冷蔵庫で半日程度寝かせる。③味噌を落とし、②を焼く。

肉・卵類

●気や血を増やし、筋力を増強する

牛肉

旬●通年　体温への影響●温　性質●昇　影響する臓器●脾臓、胃、腎臓

疲れ型	食べ過ぎ型	ストレス型	冷え型	乾燥型	血行不良型	むくみ型	精神不安型
○	△	△	○	△	○	○(脂は△)	○

こんな体質・症状のときにおすすめ

●倦怠感《けんたいかん》、無気力、冷え、貧血、筋力増強…大量の草を食べて育つ牛は、血を増やす食効に優れ、貧血の改善に効果的。気を増やし、昇らせる食効は、(疲)・(冷)の元気の源をつくり出し、活力を与え、筋骨の強い体をつくります。

こんな体質・症状のときは控えめに

●舌苔《ぜったい》が多いとき、白目の充血、上部の充血…老廃物が蓄積し、舌苔が多いときは不向き。温め、気を昇らせる力が強いため、体の上部の充血にも不向き。熱感を伴いやすい(食)・(ス)・(乾)は、控えて。(む)は脂が負担になります。赤身なら冷えを伴うむくみに使えるでしょう。

相性のよい食材

●**ほうれんそう、ひじき、トマト、黒豆、くるみ、プルーン、やまいも、ニンニク、しょうが、ねぎ**…気と血を増やし、体を温める食効を高めます。●**大根、クレソン、春菊、ルッコラ、水菜、ごぼう**…くどい性質の行き過ぎを防ぎます。

おすすめレシピ

●**牛肉ごぼうのくるみ和え【倦怠感、無気力、冷え、精力増強に】**…①ごぼうは皮ごと斜め切りにする。②くるみは刻んで煎っておく。③フライパンで牛肉と①を炒める。④牛肉に火が通ったら、水、砂糖、醤油を加える。⑤煮汁にとろみがついたら②を合わせる。

●**牛肉とほうれんそうの煮びたし【貧血、筋骨増強に】**…①牛肉とほうれんそうを少量の水で煮る。②煮えたら、めんつゆで味つけする。③仕上げにごまを振る。

●体を熱くして、冷えを改善

羊肉

旬●通年　体温への影響●熱　性質●昇　影響する臓器●脾臓、腎臓

疲れ型	食べ過ぎ型	ストレス型	冷え型	乾燥型	血行不良型	むくみ型	精神不安型
○	△	△	◎	△	○	○(脂は△)	○

こんな体質・症状のときにおすすめ

●足腰の冷え、生理痛、疲れ、無気力、貧血…体温への影響が〝熱〟で非常に強い。体の芯から冷え体質を改善するため、(冷)の生理痛に適します。気を増やし、昇らせる食効は(疲)・(冷)の無気力やつまずき、母乳不足に効果があります。

こんな体質・症状のときは控えめに

●白目の充血、ほてり、のぼせ、舌苔《ぜったい》が多いとき…体を熱くし昇らせる力が強いため、上部の充血があるときには不向き。熱感を伴いやすい(食)・(ス)・(乾)は、控えて。脂が負担になりやすい(む)も、赤身なら冷えを伴うむくみに使えるでしょう。

相性のよい食材

●**ニンニク、じゃがいも、たまねぎ、ワイン、トマト**…気と血を増やし、体を温める食効を増強します。●**トマト、セロリ、キャベツ**…肝臓を助けて、熱しすぎを防ぎます。

おすすめレシピ

●**羊肉のアイルランドシチュー【貧血、無気力、母乳不足に】**…①一口大に切った羊肉に白ワイン、こしょうをもみ込み、半日冷蔵庫で寝かせる。②キャベツ、セロリ、にんじん、じゃがいも、ニンニクは大きめに切る。③鍋で①を炒めて焦げ目をつけ、②と水を加え30分程度煮る。④塩で味つけする。

●**羊肉の火鍋【冷え性、たるみに】**…①薄切りの羊肉にニンニク、酒をもみ込み、半日程度冷蔵庫で寝かせておく。②鍋にキムチ、もやし、にら、豆腐、豆板醤、水を入れて煮る。③①を煮立った鍋にくぐらせる。

●熱や気を落ち着かせ、血を増やす

馬肉

旬●通年　体温への影響●涼　性質●降、潤　影響する臓器●肺、腎臓、肝臓

疲れ型	食べ過ぎ型	ストレス型	冷え型	乾燥型	血行不良型	むくみ型	精神不安型
○	△	○	○	○	○	○	○

こんな体質・症状のときにおすすめ

●貧血、のぼせ、手足のしびれ、筋骨のやせ、不安感…涼性を持ち、余分な熱や気の上昇を落ち着かせる働きがあります。鉄分を含むため貧血に適し、(精)やしびれに合います。筋肉をつくるので、(疲)・(冷)の体づくりに適しています。

こんな体質・症状のときは控えめに

●舌苔《ぜったい》が多いとき、余分なものが過剰な消化不良…涼性で気を落ち着かせるので肉類の中では(食)にも合いますが、過食は禁物。わさび、かいわれなど、青菜と合わせましょう。

相性のよい食材

●**にんにく、しょうが、ねぎ類、卵、ごま**…血流をよくし、増血し、しびれや貧血を改善する食効を増強します。●**わさび、かいわれ、水菜、大根、ルッコラ、味噌**…消化を助け、余分なものがたまらないようにします。

おすすめレシピ

●**馬肉のたたき【貧血、冷え、筋骨のやせ、手足のしびれに】**…①ごま油、味噌、砂糖、酒を各大さじ1、醤油大さじ1・5を合わせる。②馬肉は細切りにし、たまねぎのみじん切りと和える。③②を器に盛り真ん中にくぼみをつけ、卵黄をのせる。④①のたれをかける。

●**馬肉とルッコラのサラダ【不安感に】**…①馬刺しを皿に敷き、ごま油と塩、おろしチーズをかける。②かいわれとルッコラをトッピングする。③馬肉で野菜を巻いていただく。

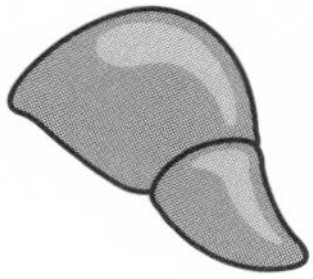

●肝臓と血を補い、視界を明るくする

レバー

旬●通年　体温への影響●温　性質●潤　影響する臓器●肝臓、脾臓

疲れ型	食べ過ぎ型	ストレス型	冷え型	乾燥型	血行不良型	むくみ型	精神不安型
○	△	○	○	○	○	○	○

こんな体質・症状のときにおすすめ

●貧血、視力減退、手足のしびれ、筋骨のやせ、不安感、水腹、舌苔《ぜったい》が少ないむくみ…肝臓、肝臓につながる目を養い視界を明るくします。血を増やす食効は、しびれや不安感にも有効。独特の食感は胃内の水を吸収し、(疲)、冷えを伴うむくみに向きます。

こんな体質・症状のときは控えめに

●舌苔が多いとき、余分なものが過剰な消化不良…ねっとりしていてくどいので、(食)は向きません。キャベツやもやしと合わせて。

相性のよい食材

●**ねぎ類、しょうが、いんげん豆、ごま、ほうれんそう、卵**…気や血を増やし、温める食効を増強します。

●**わさび、キャベツ、もやし、ごぼう、セロリ**…排出を助け、くどい性質を軽減します。

おすすめレシピ

●**レバーペースト【貧血、冷え、やせ、手足のしびれに】**…①酒を加えて下ゆでしたレバー、ゆでたほうれんそう、ニンニク・塩少々をミキサーに入れる。②柔かくなるまで菜種油、牛乳を加えミキサーにかける。

●**レバーの醤油煮【不安感、水腹、冷えを伴うむくみ、たるみに】**…①酒、醤油、みりん、砂糖を合わせ、煮立たせる。②一口大に切り下ゆでしたレバーを入れて煮る。③照りが出たら火をとめ、いんげん豆、すりごまを入れ、フタをして鍋をゆすりながら蒸す。

●骨と皮を潤し、関節を強くする

手羽

旬●通年　体温への影響●温　性質●潤　影響する臓器●脾臓、腎臓、胃

疲れ型	食べ過ぎ型	ストレス型	冷え型	乾燥型	血行不良型	むくみ型	精神不安型
○	△	○	○	○	○	△	○

こんな体質・症状のときにおすすめ

●関節痛、乾燥肌、髪のパサつき…「食べたものと同じ場所が治る」というのが東洋医学の教え。加齢とともに潤いがなくなり、きしむ関節に必要なものを補い、潤滑油の役割を果たしてくれます。血を補う働きもあり、髪や肌にツヤを出します。

こんな体質・症状のときは控えめに

●舌苔《ぜったい》が多いとき、余分なものが多い消化不良…潤し・血や気を補うため、老廃物が蓄積し、ヘドロ状となる(食)や熱感を伴う(む)には合いません。繊維の多い野菜類と合わせ、排出の食効を加えるとよいでしょう。

相性のよい食材

●**しょうが、こしょう、ニンニク、ねぎ**…温め、湿気の邪気を払い、寒さや湿気で発症しやすい関節痛を和らげます。●**ごま、トマト**…血を補い美髪や美肌をつくる作用を高めます。●**トマト、セロリ、酢、キャベツ、ウーロン茶**…くどい性質をさっぱりさせます。

おすすめレシピ

●**手羽先のぱりぱり焼き【関節痛に】**…①おろしニンニクに黒こしょう、塩を加えて手羽先にもみ込み、冷蔵庫で寝かせる。②フライパンで両面をこんがりと焼く。

●**手羽元の甘酢煮【乾燥肌、髪のパサつきに】**…①酢50ccにみりん・醤油・蜂蜜各大さじ1、塩少々、水150ccを合わせる。②①に手羽元4本を入れて煮汁がなくなるまで加熱する。③ごまをまぶす。

●積もったものを消す、胃腸の味方

砂肝

旬●通年　体温への影響●平　性質●降　影響する臓器●胃、小腸、膀胱

疲れ型	食べ過ぎ型	ストレス型	冷え型	乾燥型	血行不良型	むくみ型	精神不安型
○	○	○	○	○	○	○	○

こんな体質・症状のときにおすすめ

●胃もたれ、消化不良、のどの詰まり、尿もれ、結石予防…胃の消化と、筋肉を助ける作用を持ちます。消化不良が原因の胃もたれ・結石、筋力の衰えが原因のもれを改善します。

こんな体質・症状のときは控えめに

●歯が弱い方、咀嚼《そしゃく》力がない方…平性で、消化を助けつつ、胃を元気にするため、どなたにでも合いますが、堅いので歯が弱い方は気をつけて。下記のレシピにあるソフトハムをお試しください。

相性のよい食材

●**しょうが、山椒、ねぎ**…つまりや尿もれを緩和します。●**キャベツ、セロリ、大根、水菜**…消化作用を高めます。

おすすめレシピ

●**砂肝のソフトハム【お腹の張り、のどの詰まり、尿もれに】**…①砂肝150gを加熱用ポリ袋に入れ、塩・こしょう各小さじ1、ニンニク1片、ゆず皮少々、菜種油50ccを入れてもむ。②半日ほど冷蔵庫で寝かせる。③沸騰した湯に②を袋ごと入れたらフタをし、火をとめて2時間ほど置く。

●**砂肝とキャベツのコールスロー【胃もたれ、消化不良、結石予防に】**…①右レシピの「砂肝のソフトハム」をスライスする。②塩もみしたキャベツ・セロリの千切りに①を加える。③マヨネーズ、ヨーグルト、レモン汁を加える。

●老化防止に筋力を増強する

牛すじ

旬●通年　体温への影響●温　性質●潤　影響する臓器●肝臓

疲れ型	食べ過ぎ型	ストレス型	冷え型	乾燥型	血行不良型	むくみ型	精神不安型
○	△	○	○	○	○	△	○

こんな体質・症状のときにおすすめ

●加齢による足腰の衰え、運動障害、筋肉疲労、乾燥肌…食べたものと同じ場所が治るという東洋医学の教えのとおり、牛のアキレス腱、牛すじは足腰の筋肉を強くします。筋肉の衰えやスポーツなどによる傷の回復を助けます。潤す作用から美肌や美髪づくりにも。

こんな体質・症状のときは控えめに

●舌《ぜっ》苔《たい》が多い消化不良・むくみ…脂が多く、温め、血や気を補うため、(食)・熱感を伴う(む)には向きません。脂抜きしてごぼうなど繊維質と合わせて。

相性のよい食材

●**ニンニク・しょうが、ねぎ、豆腐、ごま**…気や血を増やし、巡らせ、筋力増強を助けます。●**ごぼう、こんにゃく、セロリ、大根、トマト、味噌**…排出の食効で、くどく温める性質の行き過ぎを防ぎます。

おすすめレシピ

●**牛すじ土手鍋【足腰の衰え、運動障害、筋骨のやせに】**…①牛すじ200g、ごぼう半分を一口大に切る。②①がかぶるくらいの水を入れ、味噌・みりん大さじ4、醤油大さじ1を合わせて煮込む。

●**牛すじトマト煮【筋肉疲労、乾燥肌、髪のパサつきに】**…①牛すじ400g、にんじん・たまねぎ中1個、セロリ中1本を一口大に切る。②①を炒め、トマト缶1個、赤ワイン・水各200㎖、ケチャップ・ソース各大さじ2、塩少々を入れ煮込む。

●美肌、産後の回復、母乳不足に

豚足

旬●通年　体温への影響●平　性質●潤　影響する臓器●脾臓、胃、腎臓

疲れ型	食べ過ぎ型	ストレス型	冷え型	乾燥型	血行不良型	むくみ型	精神不安型
○	△	○	○	○	○	△	○

こんな体質・症状のときにおすすめ

●母乳不足、産後の疲労、乾燥肌、髪のパサつき、傷の治りが遅い、筋肉増強…皮膚《ひふ》や筋肉を修復します。血を増やし潤す作用は母体に有効。血を失った産後の疲れを補い、母乳のもとになります。産後の体は水を素通りさせますが、豚足は水を留め血を増やし豊富な母乳をつくります。

こんな体質・症状のときは控えめに

●舌苔《ぜったい》が多い消化不良、むくみ…脂が多くくどいため、㊍・熱感を伴う㋰には向きません。脂抜きし、きゅうりなどの排出作用を合わせましょう。

相性のよい食材

●**ほうれんそう、豆腐、ごま、黒・白きくらげ**…血を増やし、潤う作用を増強します。●**ごぼう、セロリ、きゅうり、酢、味噌**…排出を助けるため、くどく温める性質の行き過ぎを防ぎます。

おすすめレシピ

●**豚足とほうれんそうのスープ【産後の疲労、傷の治り、筋骨のやせに】**…①鍋にボイル豚足とたっぷりの水、干ししいたけ、みりん・酒・醤油を同じ割合で入れ煮込む。②トロトロになったらほうれんそうを入れる。

●**豚足と白きくらげのごま酢味噌【乾燥肌、髪のパサつきに】**…①ボイル豚足は食べやすく切る。②ゆでた白きくらげ、千切りのきゅうりをのせる。③②の上からすりごま入りの酢味噌をかける。

肉・卵類

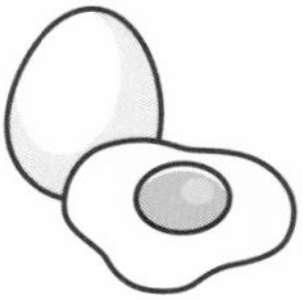

●血を補い、お腹の赤ちゃんを育む

鶏卵

旬●通年　体温への影響●平　性質●潤　影響する臓器●脾臓、肺、大腸、心臓

疲れ型	食べ過ぎ型	ストレス型	冷え型	乾燥型	血行不良型	むくみ型	精神不安型
◎	△	○	○	○	○	○	○

こんな体質・症状のときにおすすめ

●貧血、疲労、水腹《みずばら》、たるみ、心臓の弱り…五臓を補い、気と血をともに増やします。疲労時や妊娠時は、特に適しています。黄身は心臓を強める働きに優れ、白身は熱を冷まし、目の充血や咳《せき》に有効です。

こんな体質・症状のときは控えめに

●舌苔《ぜったい》が多いとき、消化不良…余分なものが多い(食)は過食は禁物。冷まし解毒する白身はよいでしょう。

相性のよい食材

●**ほうれんそう、豆腐、ごま、黒きくらげ、ニンニク、魚のすり身、醤油**…気や血を増やし、五臓を補強する作用を高めます。●**大根おろし、三つ葉、ひじき、ゴーヤ**…排出を助けるため、くどい性質の行き過ぎを防ぎます。

おすすめレシピ

●**固ゆで卵【貧血、疲労、水腹、たるみに】**…①鍋に重ならないよう卵を並べ、深さ1～2㎝ほど水を入れる。②強火にかけて沸騰したらフタをし、中火にして3分間ゆでる。③火をとめたら5～8分放置。※固ゆでが胃の余分な水を吸収し、疲労回復につながる。

●**卵醤【心臓の弱り、心臓肥大に】**…①有精卵の黄身を取り出し、器に入れる。②黄身と同量の本醸造醤油を合わせる。※有精卵・本醸造醤油にこの食効がある。

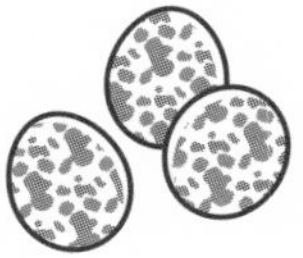

●脳の活動を活発にし、子どもの健康に

うずら卵

旬●通年　体温への影響●平　性質●潤　影響する臓器●脾臓、肝臓、腎臓

疲れ型	食べ過ぎ型	ストレス型	冷え型	乾燥型	血行不良型	むくみ型	精神不安型
◎	△	○	○	○	○	○	○

こんな体質・症状のときにおすすめ

●貧血、疲労、健忘《けんぼう》…鶏卵より気を補う作用が強く、滋養強壮に効果が。特に脳の活動を活発にし、物忘れを改善します。疲・冷の胃腸が弱い子どもの、虚弱体質に向いています。

こんな体質・症状のときは控えめに

●舌苔《ぜったい》が多い消化不良、むくみ…補う作用が強く、余分なものが多い食は、過食は禁物。排出に働く白菜やたけのこと合わせて。

相性のよい食材

●**にんじん、ごま、油、塩、こしょう**…気や血を増やし、巡らせ五臓を補強する作用を高めます。●**白菜、たけのこ、きくらげ**…排出するため、くどい性質をさっぱりさせます。

おすすめレシピ

●**うずらのフライ【疲労、発育不全に】**…①パスタを串の長さに切り、うずらのゆで卵3個に殻ごとさす。（ひびを入れるとさしやすい）②うずらの卵4個を溶き、小麦粉1／2カップ、水50ccを混ぜる。③①を②、パン粉の順番でつけ、油で揚げる。

●**うずらのみたらしごま団子【健忘、白髪、貧血、老化現象に】**…①殻にヒビを入れたうずらのゆで卵10個を鍋に入れる。②①を殻ごとから煎りし水分を飛ばす。③②にみりん20cc、醤油10ccを入れ煮詰める。④たれが絡んだらゴマの上で転がす。※殻ごと食べます。

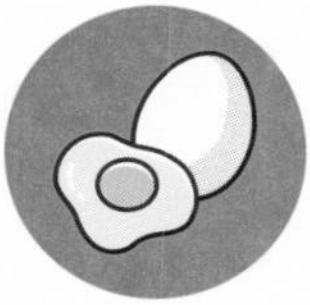

第8章

魚介類・海藻

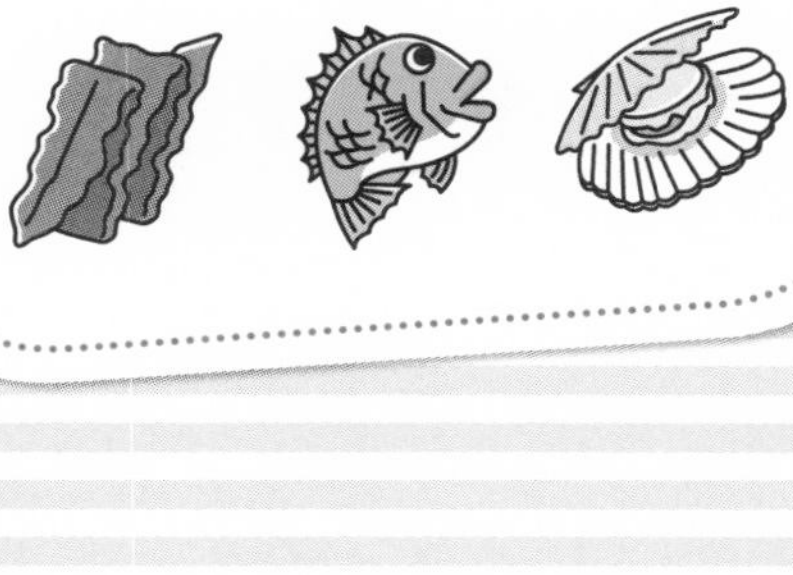

●脳や目の血行を促進し、五感が蘇る

イワシ

旬●春～秋　体温への影響●温　性質●潤　影響する臓器●脾臓、肝臓、腎臓、心臓

疲れ型	食べ過ぎ型	ストレス型	冷え型	乾燥型	血行不良型	むくみ型	精神不安型
○	△	○	○	○	◎	○	○

こんな体質・症状のときにおすすめ

●健忘《けんぼう》、肩こり、視力減退、老化防止、高血圧・心筋梗塞《しんきんこうそく》・動脈硬化予防…頭からしっぽまで丸ごと食べられるイワシは、五臓の素となります。常温でサラサラの魚油が血液をきれいにするため、(血)の生活習慣病予防に最適。脳の血流が改善し、五感を取り戻せます。

こんな体質・症状のときは控えめに

●舌苔《ぜったい》が厚いとき、消化不良、胸焼け…気や潤いを補う性質が、余分なものを排出したい(食)には不向き。消化を助け排出を手伝う大根と合わせるとよいでしょう。負担になりにくいシラスおろしやツマたっぷりのお刺身で。

相性のよい食材

●**しょうが、ニンニク、ねぎ、山椒**…温め、血流をよくする食効を高めます。●**大根、わさび、水菜、しそ、ワカメ、梅、酢**…くどさをさっぱりさせます。

おすすめレシピ

●**イワシのスタミナ焼き【健忘、視力減退、肩こりに】**…①イワシを開き、塩こしょうし、お好みの量のおろしニンニクとしそ1枚をすりつける。②①に小麦粉をまぶす。③油を熱し両面をカラッと焼く。

●**シラスおくら【老化防止に】**…①小口切りのおくら、シラス、ごまを合わせる。②醤油少々を加える。

●**イワシの刺身【高血圧、心筋梗塞、動脈硬化予防に】**…①小イワシのお腹から指を入れて身をそぎ、塩水で洗う。②(疲)はごま、(冷)・(血)はたまねぎ、しょうが、(ス)はしそ、みょうが、(食)はわさびを増量して。

●お腹を温め、気力を充実させる

アジ

旬●春～夏　体温への影響●温　性質●潤　影響する臓器●胃、脾臓

疲れ型	食べ過ぎ型	ストレス型	冷え型	乾燥型	血行不良型	むくみ型	精神不安型
○	△	○	○	○	◎	○	○

こんな体質・症状のときにおすすめ

●食欲不振、気力不足、お腹の冷え、健忘《けんぼう》、老化、高血圧・動脈硬化予防…

お腹を温め、消化器を円滑にする働きが。魚油が血管内をきれいにし、脳・全身の血流を促進。(疲)・(冷)・(血)の体質改善に向きます。脳の活性化を高めるには、アジの頭ごと食べるのがおすすめ。

こんな体質・症状のときは控えめに

●舌苔《ぜったい》が厚いとき、消化不良…(食)は血や気を補う食効が合いません。たまねぎと混ぜた「アジのたたき」や、味噌の消化力を利用した「なめろう」がおすすめです。

相性のよい食材

●**しょうが、たまねぎ、しそ、ねぎ類、ごま、唐辛子、こしょう**…温め、血流をよくする食効を高めます。●**大根、わさび、きゅうり、ワカメ、昆布、酢**…アジの温め、血や気を補う作用の行き過ぎを防ぎます。

おすすめレシピ

●**揚げないアジの南蛮漬け【健忘、老化、筋骨の衰えに】**…①酢、醤油、みりん、砂糖（大さじ3：2：2：1）に水を足し、漬けだれをつくる。たまねぎの薄切り、唐辛子はお好みで。②小アジに塩こしょうし、小麦粉をまぶし、少量の油で両面を焼いて①に漬け込む。

●**塩焼き【食欲不振、やる気不足、胃の冷えに】**…①アジに塩を振り、両面を焼き、焦げ目をつける。

●**刺身の昆布茶締め【高血圧、動脈硬化予防に】**…①アジの刺身を、適量の酢・昆布茶・塩少々で締める。

●気や血を増やし、血栓予防も

サバ・サンマ

旬●秋、春　体温への影響●平　性質●潤　影響する臓器●胃、膵臓、心臓、腎臓

疲れ型	食べ過ぎ型	ストレス型	冷え型	乾燥型	血行不良型	むくみ型	精神不安型
○	△	○	○	○	○	○	○

こんな体質・症状のときにおすすめ

●疲労、貧血、イライラ、血栓・高血圧・動脈硬化予防…赤身が多いサバとサンマは気も血も補うので、(疲)の疲れや貧血に適します。サバは心臓を鎮《しず》め、心を穏やかにします。サンマは虚弱を補い、やる気を出させます。双方ともに血栓予防には生食が最適です。冷えを伴う(む)には焼き魚、煮魚が合います。

こんな体質・症状のときは控えめに

●舌苔《ぜったい》が厚いとき、消化不良…(食)は青魚の脂が負担になります。酢じめにし、しそや大根、たまねぎを添えるといいでしょう。

相性のよい食材

●**しょうが、たまねぎ、しそ、ねぎ類、ごま、唐辛子、こしょう、カレー粉**…解毒しつつ、温め、血行促進作用を高めます。●**大根、キャベツ、わさび、わかめ、梅、酢、ゆず**…解毒し、消化を助け、くどさを軽減します。

おすすめレシピ

●**青魚酢の物【血栓予防、イライラに】**…①りんご酢・醤油を各大さじ2ほど合わせ、スライスたまねぎ・みょうがを和える。②市販のしめサバ（またはサンマ刺身）を①にそっと混ぜ、冷蔵庫で寝かせる。③しその千切り、ごまを添える。

●**塩焼き【やる気不足、食欲不振、胃弱に】**…①サンマに塩を振り、両面を焼き、焦げ目をつける。(食)・(ス)・(乾)・(む)は大根おろしやかぼすを添えて。※シンプルながら塩焼きの焦げはやる気増強の特効薬。

●気や血を補い、冬の乾燥肌を改善

ブリ

旬●冬　体温への影響●温　性質●潤　影響する臓器●肝臓、膵臓、腎臓

疲れ型	食べ過ぎ型	ストレス型	冷え型	乾燥型	血行不良型	むくみ型	精神不安型
○	△	○	○	○	○	○	○

こんな体質・症状のときにおすすめ

●疲労、貧血、乾燥肌、胃腸虚弱、血栓・高血圧・動脈硬化予防…青魚の脂で血管内をきれいにし、血栓を溶かして血流をよくする作用があります。また、豊富な赤身で血を補うので、㊀疲の疲労や貧血に適します。体を潤すため、(乾)の冬のカサカサお肌にぴったりです。

こんな体質・症状のときは控えめに

●舌苔《ぜったい》が厚いときの消化不良…余分なものが多い(食)には脂が多いブリは負担。そんなときは、大根や海藻類が強い味方になります。

相性のよい食材

●**しょうが、たまねぎ、しそ、ねぎ、ごま、唐辛子、こしょう、カレー粉**…血流をよくする食効を高めます。

●**大根、わさび、ワカメ、梅、酢、きゅうり、トマト**…解毒し、くどさを軽減します。

おすすめレシピ

●**ブリゆず茶漬け【ストレスによる血行不良、血栓、高血圧、動脈硬化予防に】**…①丼にご飯、そぎ切りにしたブリの刺身を盛る。②カツオブシ、刻みのり、三つ葉、ゆず、梅干しなどをのせ、熱々の昆布茶をかける。

●**ブリ大根【疲労、貧血、やる気不足、胃腸虚弱に】**…①大根、にんじん、しょうがのスライス、熱湯をくぐらせたブリのあら、の順に鍋に入れ、ひたひたの水、酒、砂糖で煮る。②醤油、みりんを入れ、照りを出す。

●やる気を出させるおにぎりの主役

サケ

旬●秋〜冬　体温への影響●温　性質●潤　影響する臓器●胃、脾臓

疲れ型	食べ過ぎ型	ストレス型	冷え型	乾燥型	血行不良型	むくみ型	精神不安型
○	△	○	○	○（塩ザケは△）	○	○	○

こんな体質・症状のときにおすすめ

●乾燥肌、コロコロ便、無気力、胃の冷え、疲労、貧血、胃弱、血栓・高血圧・動脈硬化予防…赤い脂が腸を潤すので、(乾)の便秘に向きます。塩で熟成した焼き魚やいくらは、米との組み合わせでやる気を増強。(疲)・(冷)の体に力が入らないとき、力をつけてくれます。冷えを伴う(む)にも有効です。

こんな体質・症状のときは控えめに

●舌苔《ぜったい》が厚いとき、消化不良、胸焼け…(食)には脂が多いサケは負担になり、(乾)も胸焼けが出やすいでしょう。消化を助け、排出する大根や海藻類と合わせると楽になります。

相性のよい食材

●**しそ、ごま、たまねぎ、こしょう**…解毒しつつ、温め、血を増やし血流をよくする食効を高めます。●**大根、キャベツ、わさび、きゅうり、酢、トマト**…解毒し、くどさを軽減します。

おすすめレシピ

●**焼きザケのおむすび【無気力、体に力が入らないとき、たるみに】**…①塩ザケをこんがりと焼く。②手に水と塩をつけ、ご飯を結び、真ん中に①を入れる。③仕上げにもう一結びする。※(疲)・(冷)はごまを振り、(食)・(む)はのりを巻くとよい。

●**サケとほうれんそうの豆乳スープ【乾燥肌、コロコロ便、貧血、胃腸虚弱、血栓、動脈硬化予防】**…①鍋に水、昆布を入れ、沸騰したら、サケを加える。②①が煮えたら、ほうれんそう、みりん、味噌を合わせ、豆乳を入れる。

●血合いが貧血を癒し、安眠に導く

カツオ

旬●秋〜冬　体温への影響●温　性質●潤　影響する臓器●腎臓、膵臓

疲れ型	食べ過ぎ型	ストレス型	冷え型	乾燥型	血行不良型	むくみ型	精神不安型
○	△	○	○	○	○	○	○

こんな体質・症状のときにおすすめ

●不眠、貧血、不安、手足のしびれ、体力の衰え…泳ぎ続ける回遊魚の血合いが血を増やして不安な気持ちを落ち着かせます。㊕の不眠を改善する効果が期待できます。血に嬉しい血栓を溶かす作用もあり、造血作用との相乗効果で手足のしびれを緩和。㊖・㊕の疲労や不安感の強い味方です。

こんな体質・症状のときは控えめに

●舌苔《ぜったい》が厚いときの消化不良、胸焼け…老廃物を排出したい㊗は血を補う作用が合わないので、カツオブシのだし汁を利用して。解毒を担う肝臓を養ってくれます。

相性のよい食材

●**トマト、ごま**…血を補う作用を高めます。●**ニンニク、しそ、しょうが、たまねぎ**…解毒しつつ温め、血流を改善する食効を高めます。●**大根、キャベツ、わさび、きゅうり、酢、かいわれ大根**…解毒し、しつこさを軽減します。

おすすめレシピ

●**カツオのカルパッチョ【不眠、貧血、不安、しびれ、血栓予防に】**…①たまねぎとにらをみじん切りにし、菜種油・塩・レモン汁・ごまを混ぜる。②皿にカツオのたたき、トマトを盛り①をかける。

●**カツオ粥【体力の衰え、病後、食欲のない朝に】**…①粥を炊く。②湯を沸かし、沸騰したらカツオブシをたっぷりと入れ、だしを取る。酒、醤油、みりんでお好みの味にし、水溶き片栗粉でとろみをつける。③粥に②をかける。

●体の不足を補い、精をつける

マグロ

旬●秋〜冬　体温への影響●温　性質●潤　影響する臓器●腎臓、脾臓

疲れ型	食べ過ぎ型	ストレス型	冷え型	乾燥型	血行不良型	むくみ型	精神不安型
◎	△	○	○	○	○	○	○

こんな体質・症状のときにおすすめ

●冷え、貧血、疲れ、精力減退、老化、筋骨のやせ、血栓予防…一生を泳ぎ続けるマグロは気・血・水（精）すべてを補い、私たちの体力を増強。赤身は血と、若返り・生殖につながる精を増やし、活力を湧きあがらせます。気や血を補強したい(疲)・(冷)にぴったりの食材です。

こんな体質・症状のときは控えめに

●舌苔《ぜったい》が厚いとき、消化不良、…余分なものを排出したい(食)は気や血を補う作用が不向きですが、脂のない赤身の刺身はおすすめです。

相性のよい食材

●**やまいも、モロヘイヤ**…精を補う作用を高めます。●**ニンニク、しそ、しょうが、たまねぎ**…解毒しつつ、温め、血流をよくする食効を高めます。●**大根、わさび、きゅうり、かいわれ大根**…解毒し、しつこさを軽減します。

おすすめレシピ

●**マグロのとろろ丼【老化防止、精力減退、不眠、貧血、血栓予防に】**…①さっとゆでたモロヘイヤとめんつゆをミキサーにかける。②丼にご飯を盛ってマグロの赤身をのせ、①をかける。③わさび、のりをトッピングする。

●**ネギトロスタミナ巻き【体力の衰え、筋骨の衰弱に】**…①巻きすにのり、ご飯を敷き、マグロのすき身、ねぎ、ごま、ニンニクみじん切り、やまいも千切りを芯にして巻く。②一口大に切り、醤油を添える。

●体力回復、母乳の通乳に

タイ

旬●春　体温への影響●微温　性質●潤　影響する臓器●腎臓、脾臓、胃

疲れ型	食べ過ぎ型	ストレス型	冷え型	乾燥型	血行不良型	むくみ型	精神不安型
○	△	○	○	○	○	○	○

こんな体質・症状のときにおすすめ

●母乳不足、老化、胃弱、精力減退、無気力、虚弱者のやせ・むくみ…やる気のもと・気を増やすので、(疲)・(冷)にぴったり。冷えを伴うむくみにもやせにも向きます。生殖や若返り・発育に関わる精を増やすため、アンチエイジングや精力増強、母乳づくりにもよい働きがあります。

こんな体質・症状のときは控えめに

●舌苔《ぜったい》が厚いとき、消化不良…(食)は気や精を補う作用が不向き。消化はよいのですが、過食は控えて。昆布締めにしてゆずを添えましょう。

相性のよい食材

●**やまいも、酒、卵の白身、しそ、しょうが**…気や精を補い、温める作用を高めます。●**昆布、かぶ、わさび**…気や精を補う作用の行き過ぎを防ぎ、詰まるものを通します。

おすすめレシピ

●**タイのかぶおろし吸い【母乳不足、母乳づくり、胃弱に】**…①タイの切り身またはあらに熱湯をかける。②湯を沸かして①を入れて火を通し、酒、醤油、塩で味を調える。③火をとめたら食べやすい大きさに切った豆腐、すりおろしたかぶを入れ、刻んだゆず皮を散らす。

●**タイ飯【老化防止、精力増強、虚弱体質に】**…①タイの切り身に塩をふっておく。②炊飯器に研いだ米、酒、醤油、塩を加えて水加減する。③昆布1切れ、①を入れて炊く。④炊き上がったら全体をさっくりと混ぜ、ごま、三つ葉をのせる。

●淡白な味わいで滋養たっぷり

タラ

旬●冬　体温への影響●平　性質●潤　影響する臓器●腎臓、脾臓、肝臓

疲れ型	食べ過ぎ型	ストレス型	冷え型	乾燥型	血行不良型	むくみ型	精神不安型
○	△	○	○	○	○	○	○

こんな体質・症状のときにおすすめ

●貧血、疲れ、虚弱者のやせ、体力不足…脂が少なく、虚弱者の体力回復に効果的。気や血を増やすので、㊢・㊅に多い貧血や疲労に向きます。冷えを伴う㋰にも有効。白子・たらこは生殖や若返りにつながる精を増やし、老化を防止し、やる気を復活させてくれます。

こんな体質・症状のときは控えめに

●舌苔《ぜったい》が厚いとき、消化不良…余分な老廃物を排出したい㊍は気や血を補強する作用が不向き。冬の脂がのったタラは、野菜たっぷりの鍋や、味噌を使ったタラ汁にしましょう。

相性のよい食材

●ニンニク、しそ、しょうが、ねぎ類…気を増やし、むくみを取る作用を高めます。●ほうれんそう、小松菜、にんじん…血を補う作用を増強。●大根、レモン、きのこ…解毒し、しつこさを軽減します。

おすすめレシピ

●**タラ汁【貧血、体力不足、精力増強に】**…①鍋にタラ、白子、にんじん、じゃがいも、ごぼう（胃腸虚弱は入れない）、水、酒を入れて加熱する。②柔らかくなったら火を止め、味噌と豆腐、ねぎを加える。

●**タラのガーリックソテー【疲れ、冷え、体力不足、冷えを伴うむくみ】**…①タラの切り身におろしニンニク、塩・こしょうをすりつけ、しばらく置く。②小麦粉を振りかけたら、フライパンに少量の油を熱し、両面カリッと焼き目をつける。

●滋養、しびれ・視力改善に

ウナギ

旬●夏　体温への影響●平　性質●潤　影響する臓器●腎臓、脾臓、肝臓

疲れ型	食べ過ぎ型	ストレス型	冷え型	乾燥型	血行不良型	むくみ型	精神不安型
○	△	○	○	○	○	○	○

こんな体質・症状のときにおすすめ

●夏バテ、貧血、疲れ、手足のしびれ、関節痛、視力減退…湿気が原因の夏バテ、関節痛を改善します。冷えを伴うむくみなら、脂を落とした蒲焼きに山椒《さんしょう》が合います。慢性病で体力が奪われると、気や血がともになくなりますが、ウナギは双方を増やします。特にキモは血を増やす作用が強く、しびれに有効。視力回復にも適します。

こんな体質・症状のときは控えめに

●舌苔《ぜったい》が厚いときの消化不良、むくみ…脂が多いため(食)には不向き。きゅうりや大根おろしと和える「うざく」がおすすめです。

相性のよい食材

●山椒、しょうが、しそ、うど…湿気やむくみを払う作用を増強。●ほうれんそう、卵、小松菜、三つ葉、にんじん…血を補う作用を増強。●大根、きゅうり、わさび…くどさを軽減します。

おすすめレシピ

●**ウナギご飯【関節痛、夏バテ、疲れに】**…①ウナギのかば焼きを短冊に切る。②うどは皮つきで小さめのいちょう切りにし、酢水にさらす。③炊き立てのご飯に①と②、しそなどお好みの薬味を入れてフタをしめ、15分ほど蒸らす。④盛りつけたらウナギのたれをかけ、山椒をふる。

●**肝と三つ葉のごま和え【視力減退、手足のしびれ、貧血、疲れに】**…①ウナギの肝焼きを串から外し、さっと熱湯をくぐらせた三つ葉とを合わせごま醤油で和える。

●関節や皮膚《ひふ》、骨を保護し、老化防止に

ハモ

旬●夏　体温への影響●寒　性質●潤　影響する臓器●腎臓、脾臓、胃、肺

疲れ型	食べ過ぎ型	ストレス型	冷え型	乾燥型	血行不良型	むくみ型	精神不安型
○	○	○	△	◎	○	○	○

こんな体質・症状のときにおすすめ

●むくみ、乾燥肌のかゆみ、関節痛、筋骨の衰え…寒性を持ち、小骨のカルシウムも豊富で気を落ち着かせる働きがあるため(乾)・(精)に適します。消化器と腎臓を助けるため、相乗効果で水分代謝も向上。皮は、皮膚《ひふ》や関節を補い、潤わせ、かゆみや痛みを改善してくれます。

こんな体質・症状のときは控えめに

●冷え、冷えによる胃腸虚弱…熱を冷ますので冷えがあるときは少なめに。(冷)は皮つきで煮込み、ねぎやしょうがなどを加えたスープがおすすめ。

相性のよい食材

●**とうがん、きゅうり**…利尿しむくみを改善する作用を増強します。●**白きくらげ、梅干し**…潤いを増やす作用を高めます。●**しょうが、ねぎ**…解毒し、冷やす作用の行き過ぎを軽減します。

おすすめレシピ

●**ハモとうがんの吸い物【むくみ、関節痛に】**…①ハモ300gとうがん150gを一口大に切り、水から煮る。②柔らかくなったら、酒、醤油、塩、しょうがのしぼり汁で味を調え、白髪ねぎを加え、フタをして、火をとめる。

●**ハモの梅肉風味【乾燥肌、かゆみ、骨の老化に】**…①白きくらげは水からゆで、大きめに切る。きゅうりはスライスし塩もみしておく。②骨切りしたハモを一口大に切り、熱湯にくぐらせ氷水に取る。③つぶした梅肉をみりんで溶いたたれをかける。

●お腹を温め、血行促進

マス・ニジマス

旬●夏　体温への影響●温　性質●潤　影響する臓器●膵臓、胃

疲れ型	食べ過ぎ型	ストレス型	冷え型	乾燥型	血行不良型	むくみ型	精神不安型
○	△	○	○	○	○	○	○

こんな体質・症状のときにおすすめ

●冷えによる胃痛・食欲不振、血行促進（マス）、不安感（ニジマス）…消化器を温め気を増す作用が、㊢・㊡の胃の冷えによる食欲不振や胃痛を改善。冷めても胃を温めるので、お弁当のおかずに。マスは血を動かす作用で、血の滞りによる肌のくすみを解消。ニジマスは増血して肝臓をなだめ、肝を座らせ㊥の不安感を払拭してくれます。

こんな体質・症状のときは控えめに

●舌苔《ぜったい》が多いとき、消化不良…㊤には補う作用が不向き。舌苔が厚いときは不要なものが体に多い証拠です。消化を助けるわさび・クレソンとともに。

相性のよい食材

●**しょうが、味噌、たまねぎ**…解毒し、温める作用を増強します。●**みかんなどかんきつ類の皮、果汁**…香りで気を巡らせ、ストレスによる血行不良を改善。●**わさび、クレソン、キャベツ、大根**…魚毒を解毒し、温め血や気を補う作用の行き過ぎを軽減。

おすすめレシピ

●**マス味噌漬け【やる気不足、冷えによる胃痛、食欲不振に】**…①味噌・みりん・酒を混ぜ、マスの切り身を漬け1～3日冷蔵。②味噌を落とし中火で焼く。

●**ニジマスのマリネ【不安感、ストレス、血行不良に】**…①ニジマスの刺身は塩こしょうしておく。②夏みかんは白い部分を入れず外皮だけみじん切りにしておく。③たまねぎスライス、②を少々、酢、夏みかん果汁、砂糖、塩を合わせる。④器にニジマスを敷き③を上からかける。

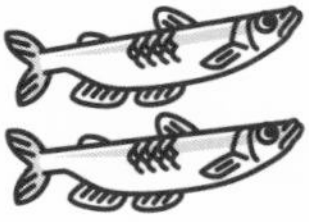

●精を増やし、肝臓を強くする

シシャモ

旬●夏　体温への影響●温　性質●潤　影響する臓器●脾臓、肝臓、腎臓

疲れ型	食べ過ぎ型	ストレス型	冷え型	乾燥型	血行不良型	むくみ型	精神不安型
○	△	○	○	○	○	△	○

こんな体質・症状のときにおすすめ

●筋骨の弱り、精力減退、発育不良、肝臓の弱り、視力減退、血行不良…抱えた卵を含め丸ごと食べるのが、腎臓を助け、生殖・成長・若返りにつながる精を増強。母魚の力が㊞疲・㊞冷の小児の発育不良や精力不足を助けます。肝臓を強くする作用もあり、視力回復も期待できます。

こんな体質・症状のときは控えめに

●舌苔《ぜったい》が多いとき、消化不良…老廃物を排出したい㊞食は気・血・精を補う作用が合いません。消化を助ける大根おろしを添えましょう。

相性のよい食材

●**やまいも、卵、しょうが**…腎臓を助け精力をつけ、血行を促進する作用を高めます。●**大根、キャベツ、わさび**…解毒し、血や気を補い温める作用を軽減します。

おすすめレシピ

●**焼きシシャモの山かけ【筋骨の弱り、精力減退、血行不良に】**…①シシャモは焼いて一口大に切る。②すりおろしたやまいも、なめたけをのせる。

●**シシャモの卵とじ【小児発育不良に】**…①シシャモをだし汁で煮て、みりん、醤油、塩で味つけする。②溶き卵をまわしかけ、お好みの固さで火をとめる。

●**シシャモのみぞれ煮【肝臓の弱り、視力改善に】**…①シシャモを汁ごとの大根おろしで煮る。②醤油、みりん、塩で味つけし、器に盛って三つ葉、みょうがを散らす。

●血を補い、血中脂質を下げる

イカ

旬●春〜秋　体温への影響●平　性質●潤　影響する臓器●脾臓、肝臓、腎臓

疲れ型	食べ過ぎ型	ストレス型	冷え型	乾燥型	血行不良型	むくみ型	精神不安型
○	△	◎	○	○	○	○	○

こんな体質・症状のときにおすすめ

●貧血、生理不順、肝臓の疲れ、ストレス、高脂血症の予防…血を補い、潤いを増やします。㋜・㋝に多い貧血気味で生理不順のとき、常食するとよいでしょう。コレステロールを増やすとされてきましたが、近年、血中脂質を下げる肝臓の味方だと証明されました。

こんな体質・症状のときは控えめに

●舌苔《ぜったい》が多いとき、消化不良…補強より排出したい㋐は過食を控えて。刺身を、大根や海藻のツマと一緒にわさび醤油でどうぞ。

相性のよい食材

●**しょうが、ニンニク、ねぎ、味噌**…解毒し、血行の促進を助けます。

●**ゆず、トマト、セロリ、ほうれんそう、にんじん**…ストレスを和らげ、血を増やして気持ちを安定させます。

●**大根、キャベツ、わさび**…解毒し、くどさを和げます。

おすすめレシピ

●**イカのワタ焼き【肝臓の疲れ、酒のおつまみ、貧血】**…①新鮮なイカのワタを取り出し、身を切る。②ワタを袋から耐熱皿にしぼり出し、酒、味噌と合わせ、身を加える。③オーブントースターで8分ほど焼き、ねぎをのせる。

●**イカとセロリのゆず炒め【貧血、生理不順、精神不安、肝臓の疲れ、高脂血症に】**…①イカを一口大に切り、スライスしたセロリと炒める。②塩少々し、ゆず皮を散らす。

●精をつけ足腰を強めて、長寿に導く

エビ

旬●春～冬　体温への影響●温　性質●潤　影響する臓器●脾臓、肺、肝臓、腎臓

疲れ型	食べ過ぎ型	ストレス型	冷え型	乾燥型	血行不良型	むくみ型	精神不安型
◎	△	○	◎	△	○	○	○

こんな体質・症状のときにおすすめ

●足腰の冷え・弱り、精力減退、貧血、…東洋医学では老化は腎臓の弱りとされています。腰を曲げた姿から海老と書くエビは、腎臓を助け、成長、生殖、若返りにつながる精を増やし、気不足の(疲)・(冷)に合います。殻ごと食べれば足腰強化に働き、(ス)・(精)の自律神経を安定させます。

こんな体質・症状のときは控えめに

●舌苔《ぜったい》が多い消化不良、ほてり…熱の元を増やすので、熱感が苦しい(食)・(乾)は、過食は禁物。大根や海藻のツマと一緒に冷やしたお刺身でどうぞ。

相性のよい食材

●**れんこん、やまいも、おくら、くるみ**…腎臓を助け、老化を防止します。●**しょうが、ニンニク、ねぎ、味噌、唐辛子**…温める作用を高めます。●**ゆず、イカ、トマト、パセリ、ほうれんそう、にんじん**…気持ちを和らげ、血を増やします。●**大根、わかめ、わさび**…解毒し、気や血の補い過ぎを防ぎます。

おすすめレシピ

●**エビとれんこんのあんかけ【老化、足腰の冷え、弱り、精力減退に】**…①れんこん、ぎんなんをだし汁で煮る。②みりん・塩で味を調え、水溶き片栗粉とエビを一緒に入れ、弱火でさっと火を通す。

●**エビの殻のクリームスープ【ストレス、不安感、足腰の弱りに】**…①エビの殻、頭を少量の油で炒め、牛乳・小麦粉とミキサーにかける。②鍋で加熱し、パセリを散らす。

●ほてりを鎮め、血圧を安定

タコ

旬●秋〜冬　体温への影響●寒　性質●収、潤　影響する臓器●脾臓、肝臓

疲れ型	食べ過ぎ型	ストレス型	冷え型	乾燥型	血行不良型	むくみ型	精神不安型
○	○	◎	△	○	○	○	◎

こんな体質・症状のときにおすすめ

●イライラ、血圧の乱れ、口内炎、ほてりを伴う疲れ、不安感、筋骨の衰え、母乳不足…さっぱりしていて旨みがあり肝臓を助けます。熱を冷ます食効は、熱が苦しい(食)・(乾)の口内炎、ほてりにぴったり。(ス)のイライラ、(精)の不安感にも適します。血を増やし疲れを取るため、母乳の出がよくなり、視力も回復します。

こんな体質・症状のときは控えめに

●冷え…熱を冷ます寒の性質を持つため、(冷)の過食は禁物。おでんなどの加熱調理がおすすめですが、刺身ならしょうがやニンニク醤油で。

相性のよい食材

●**ゆず、イカ、トマト、セロリ、ほうれんそう、にんじん**…血を増やしてストレスを和らげ、気持ちを安定させます。●**大根、わさび、きゅうり、ワカメ**…熱を冷まし、消炎する食効を高めます。●**しょうが、ニンニク、ねぎ、唐辛子**…温め、寒性を和らげます。

おすすめレシピ

●**タコときゅうりの酢の物【イライラ、ほてり、口内炎に】**…①スライスしたきゅうりを塩もみする。②生タコの刺身に①、ワカメ、みょうがを加え、酢、砂糖、塩で味を調える。

●**タコとトマト冷製パスタ【産後のイライラ、ほてりを伴う疲れ、視力回復】**…①トマト（缶でも）、オリーブ油、塩をよく混ぜ、タコの刺身、しそ、お好みでニンニクを合わせる。②ゆでたパスタを冷水で冷やして①を和える。

●肝臓を助け、血行を促進

カニ

旬●冬　体温への影響●寒　性質●収、潤　影響する臓器●腎臓、肝臓、心臓

疲れ型	食べ過ぎ型	ストレス型	冷え型	乾燥型	血行不良型	むくみ型	精神不安型
○	△	○	△	○	○	○	○

こんな体質・症状のときにおすすめ

●血行不良、肝臓・胆嚢《たんのう》の疲れによるほてり、骨粗鬆症《こつそしょうしょう》・高血圧の予防…血が滞るうっ血を改善する作用があり、血行改善に向きます。殻にはうっ血性心不全・高血圧の予防作用が顕著。油物の代謝を助け、肝臓や胆嚢の炎症を鎮《しず》め、黄疸《おうだん》を改善します。

こんな体質・症状のときは控えめに

●冷えによる下痢《げり》・痰《たん》・咳《せき》…寒の性質を持つため、（冷）は必ずしょうがを添えて。老廃物をためやすい（食）は過食は禁物。しそを合わせて。

相性のよい食材

●**白菜、きゅうり、トマト、ワカメ、しそ、わさび、酢**…解毒を助け消炎する作用を高めます。●**しょうが、ねぎ、唐辛子**…温め、寒性を和らげます。

おすすめレシピ

●**カニと白菜のあんかけ【血行不良、ほてりに】**…①白菜をだし汁で煮る。②①にカニのほぐし身（缶詰でも）を入れ、みりん、塩で調味し、水溶き片栗粉でとろみをつける。③酢、からしを合わせる。

●**カニ殻ソース【骨粗鬆症、高血圧予防に】**…①小さく切ったカニ殻1匹分、セロリ2本、たまねぎ1個、ニンニク1片を油で炒める。②水、白ワイン各250cc、トマト缶1缶を加え20分煮る。③牛乳100cc、塩こしょうを加え、ミキサーにかけて、こす。パスタにどうぞ。

●脳の活動を高め、腫《は》れ物を解消

ウニ

旬●春～秋　体温への影響●平　性質●なし　影響する臓器●腎臓、膵臓、心臓、肺

疲れ型	食べ過ぎ型	ストレス型	冷え型	乾燥型	血行不良型	むくみ型	精神不安型
○	○	○	○	○	○	○	○

こんな体質・症状のときにおすすめ

●脳の衰え、健忘《けんぼう》、精力減退、熱を持った腫《は》れ物、しこり…殻に包まれた様子が脳に似ているウニは、脳をよくする効果があるとされています。平性で、若返りにつながる腎臓を助け、全体質の認知症予防に向きます。ウニは主食の昆布の食効を凝縮して持ち、堅いものを軟らかくするため、(食)・(む)に特に多い体の内外のしこりを改善します。

こんな体質・症状のときは控えめに

●冷えによる胃腸虚弱…穏やかな性質なので体質を選びませんが、胃腸が冷え、生ものの消化が苦手な人は控えめに。ウニグラタンならおすすめです。

相性のよい食材

●**卵、ごま、豆腐、牛乳、くるみ、やまいも**…滋養強壮効果を高め、脳の活動を高めます。●**わさび、しそ、しょうが**…解毒し、気や精の補い過ぎを防ぎます。●**昆布、ワカメ、ひじき**…しこりや腫れ物を軟らかくする効果を増強します。

おすすめレシピ

●**ウニとろろ丼【脳の衰え、老化現象、精力減退に】**…①丼にご飯を盛り、上から白味噌と合わせたやまいものとろろをかけ、ウニをトッピングする。②刻んだくるみ、ねぎを散らし、醤油をかける。

●**ウニと塩昆布のうどん【しこり、腫れ物、首のぐりぐり、精力減退に】**…①熱々のうどんにウニと塩昆布、精力増強を望むときは卵の黄身をのせる。②刻みのりを振りかけ、わさび醤油をかける。

●血をきれいにする浄化役

アサリ・シジミ

旬●春〜初夏　体温への影響●微寒　性質●潤、降　影響する臓器●肝臓、腎臓（脾臓、胃）

疲れ型	食べ過ぎ型	ストレス型	冷え型	乾燥型	血行不良型	むくみ型	精神不安型
○	○	○	△	◎	○	○	◎

こんな体質・症状のときにおすすめ

●貧血、不安感、ほてり、しこり、胸焼け、酒の解毒、高脂血症・黄疸《おうだん》・糖尿病予防…浅瀬で海や河川を浄化する貝類は、体内に入っても体をきれいにしてくれます。血を浄化して増やし、気持ちを安定させ、心と体を潤すので、㊦乾・㊦精にぴったり。飲酒時のおつまみや、二日酔いの朝にも最適です。

こんな体質・症状のときは控えめに

●冷えによる胃腸虚弱…体を冷やす性質を持つため、㊦冷は温める食材と合わせましょう。酒・みりん・醤油で煮て卵でとじる調理がおすすめです。

相性のよい食材

●**味噌**…肝臓を助け、解毒し、排出する作用を高めます。●**三つ葉、ゆず、しそ**…気を巡らせ、気持ちを安定させます。●**ほうれんそう、小松菜、チンゲン菜、セロリ、トマト、卵、豆腐、牛乳**…浄血・血を補う効果を高めます。●**しょうが、ねぎ、唐辛子**…冷やす作用を軽減します。

おすすめレシピ

●**貝の味噌汁三つ葉入り【ストレス、二日酔いの朝に】**…①水を張った鍋にアサリやシジミを入れ、酒を加えて加熱する。②口が開いたら、火をとめて、味噌を入れる。③三つ葉を添える。※椀にフタをして、食べる直前に開けると、香りでさらに気が巡る。

●**チンゲン菜との蒸しもの【貧血、不安感、ほてり、高脂血症、高血圧、糖尿病予防に】**…チンゲン菜とアサリやシジミを鍋に入れ酒少々で蒸す。

●消化を助け、やる気と視力を回復

ホタテ

旬●春～初夏　体温への影響●平　性質●潤、降　影響する臓器●肝臓、腎臓

疲れ型	食べ過ぎ型	ストレス型	冷え型	乾燥型	血行不良型	むくみ型	精神不安型
○	○	○	△	○	○	○	○

こんな体質・症状のときにおすすめ

●無気力、精力減退、視力低下、消化不良、動脈硬化・高血圧の予防…強い貝柱を持つホタテは、やる気・行動力を助けます。橙《だいだい》色の卵巣、白色の精巣とも腎臓に働きかけ、精力を増強し衰えた排尿作用を回復。肝臓を助け、目の視野を明るくします。胃の消化を助ける作用もあります。

こんな体質・症状のときは控えめに

●冷え、舌苔《ぜったい》が多いとき…貝柱は体質不問ですが、(冷)は加熱して少量に。卵巣や精巣はくどいので、(食)は大根・わさび・ワカメを添えて。

相性のよい食材

●**ほうれんそう、小松菜、チンゲン菜、セロリ、トマト**…肝臓を助け視力を高めます。●**ニンニク、ねぎ**…温め、精力増強に働きます。●**大根、レモン、ゆず**…くどく血や気を補う作用を軽減。消化を高めます。

おすすめレシピ

●**ホタテとセロリの蒸し物【視力低下、高脂血症、高血圧予防に】**…①ホタテに刻んだセロリの葉をのせる。②少量の酒、塩を振り、蒸し器で蒸す。③お好みでレモン汁をしぼる。

●**ホタテのニンニク醤油【精力減退、無気力に】**…①殻つきホタテを焼き皿に盛る。②熱いうちにバターをのせ、ニンニク醤油をかける。

●**ホタテおろし和え【消化不良、高血圧、糖尿病予防に】**…①ホタテの刺身を水切りした大根おろしと和え、ポン酢をかける。

●精神を安定させる「海のミルク」

カキ

旬●冬～春　体温への影響●平　性質●降、潤　影響する臓器●心臓、肝臓、腎臓

疲れ型	食べ過ぎ型	ストレス型	冷え型	乾燥型	血行不良型	むくみ型	精神不安型
○	△	○	△	○	○	△	◎

こんな体質・症状のときにおすすめ

●不安感、動悸《どうき》、不眠、貧血、肝臓の弱り、体力不足、高脂血症・高血圧の予防…腎臓を助ける「海のミルク」カキは、きれいな血を増やします。安心させて、不眠やクヨクヨの改善に働くため、(精)に向きます。排出器官や肝臓や腎臓を助け、血を浄血。血圧を整えます。

こんな体質・症状のときは控えめに

●冷え、舌苔《ぜったい》が多いとき…冷やす作用があるので、(冷)は加熱して少量に。排出したい(食)は大根おろし、(む)はワカメやしょうが添えて。

相性のよい食材

●**牛乳、ほうれんそう、小松菜、チンゲン菜、セロリ、トマト**…血を補い、精神安定作用を高めます。●**ニンニク、ねぎ**…温め、体力を増強する作用を高めます。●**大根、レモン、ゆず**…くどい性質を軽減し、肝機能を助けます。

おすすめレシピ

●**カキのクリームシチュー【不安感、動悸、不眠、貧血、体力不足に】**…①ほうれんそう、カキをひたひたの水で煮る。②ひと煮立ちしたら火を弱め、牛乳を注ぎ、みりんと塩で味を調える。③牛乳で溶いた小麦粉を入れ、とろみをつける。

●**カキのおろしゆず醤油【肝臓の弱り、高脂血症、高血圧の予防に】**…①カキは大根おろしの汁でよくもみ洗いする。②①に水切りした大根おろしを入れて、ゆずをしぼり、醤油をかける。

●老廃物を排出し、しこりをなくす

ワカメ・昆布・のり

旬●春～冬　体温への影響●寒　性質●潤、降　影響する臓器●腎臓

疲れ型	食べ過ぎ型	ストレス型	冷え型	乾燥型	血行不良型	むくみ型	精神不安型
△	◎	○	×	○	○	○	○

こんな体質・症状のときにおすすめ

●黄色い痰《たん》、咳《せき》、しこり、熱感を伴うむくみ、便秘、首のぐりぐり・がん予防…海藻類には老廃物が固まったものを排出、軟らかくする働きがあります。舌苔が多く、熱感を伴う(食)・(む)に最適。

こんな体質・症状のときは控えめに

●冷え、疲れ、繊維による下痢《げり》…冷やし排出するため、血や気を補いたい(疲)・(冷)に多い繊維による下痢に不向き。温め、血や気を補う卵、ごま、油、酒を合わせましょう。冷えを伴う(む)には適しません。しょうがを加えて。

相性のよい食材

●**白菜、かぶ、しめじ、酢**…痰を排出し塊を軟らかくする作用を高めます。●**卵、ごま、油**…冷やし過ぎ、排出し過ぎを防ぎます。

おすすめレシピ

●**ワカメとしめじの醤油漬け【黄色い痰、咳、便秘、舌苔が多いときに】**…①湯通ししたワカメ100g、ほぐしたしめじ1房を醤油・めんつゆ各大さじ1、酒・みりん各小さじ1に合わせ、冷蔵庫で寝かせる。

●**切り昆布とかぶのゆず塩漬け【黄色い痰、咳、しこりに】**…①塩もみしたかぶに、細く切った昆布、刻んだゆず皮を合わせ、冷蔵庫で半日寝かせる。

●**のりの味噌汁【便秘、首のぐりぐり、がん予防に】**…①だし汁を沸騰させ、火をとめ味噌を入れる。②洗った生のりを椀に入れ、潰した梅干しを合わせ①を注ぐ。

●血を増やし、豊かな髪をつくる

ひじき

旬●春　体温への影響●寒　性質●降　影響する臓器●肺、腎臓

疲れ型	食べ過ぎ型	ストレス型	冷え型	乾燥型	血行不良型	むくみ型	精神不安型
△	◎	○	△	○	○	○	◎

こんな体質・症状のときにおすすめ

●貧血、不眠、髪の乾燥、白髪、便秘、しこり、熱感を伴うむくみ、高脂血症・高血圧・首のぐりぐり・がん予防…髪の形状に似ているとされるひじきはきれいな血を増やし、精神を安心させ、豊かな黒髪づくりを助けます。(食)・脂肪の代謝の悪い(む)の老廃物を排出して浄血し、血圧を整えます。

こんな体質・症状のときは控えめに

●冷え、疲れ、繊維による下痢《げり》…冷やし排出するため、(疲)・(冷)、繊維による下痢に不向き。温め、血を補う鶏肉やにんじんを合わせ甘い煮物にして。

相性のよい食材

●**ほうれんそう、にんじん、ごま**…血を補う働きを高めます。●**ごぼう、れんこん、きゅうり、酢**…老廃物を排出する作用を増強します。●**鶏肉、油揚げ、ちくわ、卵、油、みりん**…冷やし過ぎ、排出し過ぎを防ぎます。

おすすめレシピ

●**ひじきとほうれんそうのナムル【貧血、髪の乾燥、白髪、便秘に】**…①水で戻したひじき、ほうれんそうをゆで、切っておく。②ごま油とごま、塩で味を調える。

●**ひじきの煮もの【貧血、髪の乾燥、白髪、便秘、高脂血症、高血圧、がん予防に】**…①水で戻したひじき、にんじん、れんこん、ちくわを少量の菜種油で炒め、だし汁で煮る。②柔らかくなったら、みりん、醤油、塩で味つけする。

第9章

加工食品

●消化を助け、下痢をとめる

麹《こうじ》

旬●通年　体温への影響●温　性質●なし　影響する臓器●脾臓、胃

疲れ型	食べ過ぎ型	ストレス型	冷え型	乾燥型	血行不良型	むくみ型	精神不安型
◎	◎	○	◎	○	○	○	○

こんな体質・症状のときにおすすめ

●消化不良で体が重いとき…炭水化物、たんぱく質、脂肪は、消化がうまくいかないと老廃物が残り、エネルギーが欠乏します。麹は豊富な酵素の消化分解力で代謝するので、ほとんどのタイプの体が軽くなり、元気になります。

こんな体質・症状のときは控えめに

●胃が熱く感じるとき、胃酸過多、ほてり…食べ方により体を熱くする性質のものになるため、消化器の炎症や熱感があるときは向きません。

相性のよい食材

●**米、大豆、麦、魚介、肉**…気を補い、体をつくり元気にする食品を合わせます。●**きゅうり、菜の花、大根、かぶ**…体を熱くさせしつこくなるのを、さっぱりさせます。消化排出を促進します。

おすすめレシピ

●**簡単甘酒【疲れ、栄養不良、やせ気味、運動前に】**…①米1合を2合半の水で炊く。②60℃に冷まし、ばらばらにした麹200gを加え、保温モードでフタを開けたままふきんをかけ6～7時間発酵させる。※夏バテには冷やして飲んで。

●**菜の花とかぶの塩麹漬け【消化不良、吹き出物、ストレスに】**…①刻んだかぶとその葉、菜の花にぬるま湯で戻した麹、塩を入れてよくもむ。②冷蔵庫で1日程度寝かせる。

●胃腸を健やかにし、老廃物を排出

おから

旬●通年　体温への影響●平　性質●降、乾　影響する臓器●脾臓、胃、大腸

疲れ型	食べ過ぎ型	ストレス型	冷え型	乾燥型	血行不良型	むくみ型	精神不安型
△	◎	○	△	△	○	○	○

こんな体質・症状のときにおすすめ

●便秘、吹き出物、むくみ、水腹《みずばら》…過剰な水分、脂、老廃物を排出する食効があり、余分なものが多い㊍・㋰に向きます。胃の中にたまった水を吸い取る作用に優れた食材です。

こんな体質・症状のときは控えめに

●疲れ、冷え、乾燥、下痢《げり》…排出する作用が㊋・㊌・㊍に合いません。繊維質で下痢《げり》になる場合も避けましょう。

相性のよい食材

●**ひじき、たけのこ、しいたけ**…毒を排出します。●**じゃがいも、とうもろこし**…余分な水を吸い取り、胃腸の調子を高めます。●**油、みりん、ごま、たまねぎ、肉類**…気を補うため、排出の行き過ぎを防ぎます。●**きゅうり、酢**…潤すため、水分吸収作用を緩めます。

おすすめレシピ

●**おからの酢の物【便秘、吹き出物、食欲不振に】**…①きゅうりとたまねぎをスライスし、塩をまぶしておく。②①で出た水分の上からおから、すりごまを混ぜ、酢、マヨネーズ、砂糖で味を調える。

●**おからの煮物【老廃物の解毒に】**…①戻した干ししいたけ、にんじん、たけのこ、こんにゃく、ひじきを刻み、菜種油で炒める。②だし汁、みりん、塩を加えて煮る。③おからを入れひと煮立ちさせる。

●老廃物を排出し、コレステロールを除去

豆腐

旬●通年　体温への影響●涼　性質●降、収、潤、　影響する臓器●脾臓、胃、大腸

疲れ型	食べ過ぎ型	ストレス型	冷え型	乾燥型	血行不良型	むくみ型	精神不安型
○	◎	○	△	◎	○	△	○

こんな体質・症状のときにおすすめ

●胸焼け、夏ばて、のどの渇《かわ》き、乾燥感、湿疹《しっしん》のほてり、母乳のつまり、動脈硬化予防…冷まし潤す性質は炎症や乾燥を改善し、(乾)のほてりやカサカサを改善します。解毒作用は脂の排出に働き、熱感を伴う(食)・(ス)の詰まりに有効。母乳も通じさせます。

こんな体質・症状のときは控えめに

●冷え、胃下垂…冷えた豆腐は、とろっとした形状が温度を持続させます。水分が多く、気を落ち着かせる作用があるため、下垂する症状には不向き。(冷)は水切りして温め、ねぎやしょうがを添えましょう。

相性のよい食材

●**昆布、ワカメ、なめこ、きゅうり、ポン酢**…老廃物の排出を助けます。●**肉類、卵、ごま、カツオブシ、黒砂糖**…気を増やし、冷え過ぎを防止します。●**ねぎ、油、唐辛子**…温め、発散するため、潤し過ぎを防ぎます。

おすすめレシピ

●**和風マーボー豆腐【血行不良、動脈硬化予防に】**…①鶏挽肉にしょうがみじん切り、酒を加え煮る。②水を加え加熱し、白味噌・みりんで味つけする。③水切りしさいの目に切った豆腐を合わせ、ひと煮立ちさせる。④ねぎ、七味唐辛子を添える。

●**豆腐冷汁【胸焼け、夏ばて、のどの渇き、乾燥感、湿疹のほてりに】**…①スライスしたきゅうりを塩もみし、汁を捨てずにその上から、すった山芋、だし汁で溶いた味噌を合わせる。②さいの目に切った豆腐を入れ、小口切りのみょうがをのせる。

●脂質、コレステロールを排出

油揚げ・高野豆腐

旬●通年　体温への影響●平　性質●収、乾　影響する臓器●脾臓、大腸

疲れ型	食べ過ぎ型	ストレス型	冷え型	乾燥型	血行不良型	むくみ型	精神不安型
○	△	○	○	△	○	○	○

こんな体質・症状のときにおすすめ

●疲れ・冷えによる食欲不振、水腹《みずばら》、むくみ、たるみ…スポンジ状のたんぱく質が胃の余分な水を吸収して排出するので、晩夏の食欲不振に向きます。たるみも引き上げます。

こんな体質・症状のときは控えめに

●舌苔《ぜったい》があるとき、乾燥…油で揚げたものは、(食)に不向き。他のタイプも舌苔があるときは注意しましょう。余分な水分を吸収するので(乾)にも合いません。(乾)は水を増やす酢と甘味を足した稲荷寿司ならよいでしょう。

相性のよい食材

●**ねぎ、唐辛子、黒砂糖**…辛味が水分排出を助け、黒砂糖は胃腸を助け、気を補う効果を高めます。●**ひじき、しいたけ、もやし、たけのこ**…解毒排出する食効が高まります。●**大根**…乾燥やしつこさを、生の大根が潤しさっぱりさせます。

おすすめレシピ

●**和風油揚げピザ【食欲不振、だるさに】**…①油揚げの上にチーズをのせてオーブントースターで焼く。②お好みでねぎ、しょうが醤油、唐辛子、おろし醤油をかける。

●**高野豆腐の煎り煮【むくみ、たるみ、便秘、解毒に】**…①戻してしぼった高野豆腐、たけのこ、干ししいたけを細切りにする。②もやしを加え、塩とだし汁を加えて炒めながら煮る。

●物忘れ、動脈硬化予防に

納豆

旬●通年　体温への影響●温　性質●なし　影響する臓器●脾臓、肺、腎

疲れ型	食べ過ぎ型	ストレス型	冷え型	乾燥型	血行不良型	むくみ型	精神不安型
○	◎	○	○	○	◎	○	○

こんな体質・症状のときにおすすめ

●肩こり、シミ、黒ずみ、健忘《けんぼう》、老化、血栓予防、便秘…血流を改善するので、(血)の肩こりやシミ、もの忘れに向きます。ビタミンCが止血に働き産後の母子の健康維持に有効です。腸内環境を整え、(食)の便秘を改善します。

こんな体質・症状のときは控えめに

●ワーファリンを服用しているとき…血栓溶解剤ワーファリンを服用している際は、納豆に多く含まれるビタミンKが効果を妨げるので、要注意。(食)や(乾)にとってしつこく感じることもありますが、酢を加えると体質に合います。

相性のよい食材

●**ねぎ、からし、しそ、バジル**…ねぎやからしには血の流れを改善する作用があり、活血の働きが強まります。しそやバジルは気を巡らせ、血を動かし血行をよくします。●**油**…骨を強くするビタミンK2の働きを高めます。●**酢、メカブ**…納豆のしつこい性質や温性をさっぱりさせます。

おすすめレシピ

●**納豆サラダ【肩こり、シミ、肌荒れ、骨の強化、動脈硬化予防に】**…①納豆に、醤油、マヨネーズを合わせる。②スライスしたたまねぎ、きゅうり、レタスに①をかけ、お好みでツナをのせる。

●**ネバネバ丼【老化、産後の授乳、消化不良に】**…①よく混ぜた納豆におくら、すりおろしたやまいもを合わせ、めんつゆを加える。②麦飯にかける。

●血行を改善し、しこりを解消

こんにゃく

旬●通年　体温への影響●涼　性質●降　影響する臓器●肺、膵臓、大腸

疲れ型	食べ過ぎ型	ストレス型	冷え型	乾燥型	血行不良型	むくみ型	精神不安型
△	◎	○	△	○	◎	○	○

こんな体質・症状のときにおすすめ

●肥満、痰《たん》、吹き出物、便秘、結石の予防…ダイエットに効果的なだけでなく、脂肪や糖質、余分な水分など要《い》らないものが凝り固まった老廃物や結石を解消し、排出を助けます。

こんな体質・症状のときは控えめに

●冷え、疲れ…排出する食効に優れているので、(疲)・(冷)に対して気を補いたいときは控えめに。温め、気を補う食品を合わせましょう。ごま油で炒め、醤油・一味唐辛子で味つけする「かみなりこんにゃく」などでどうぞ。

相性のよい食材

●**わさび、酢、ワカメ、ごぼう、キウイ、ゆず**…老廃物の排出を助けます。●**しょうが、ねぎ、みりん、ごま**…排出し過ぎ、冷やし過ぎを防ぎます。

おすすめレシピ

●**しらたきそうめん【老廃物の排出、便秘、ダイエットに】**…①しらたきを湯通しし、洗って冷やす。②めんつゆとしそ、しょうが、ねぎ、わさび、ごまなどを添えて。

●**砂出しこんにゃく【結石予防に】**…①こんにゃくと、戻して湯通ししたワカメを一口大に切る。②味噌、酢、みりんを2：1：1の割合で混ぜ①にかける。※効果を強めたいときは、酢味噌にゆず皮やキウイのみじん切りを加えるとよい。

●腸内の悪玉菌を減らし、宿便《しゅくべん》を排出

ヨーグルト

旬●通年　体温への影響●平　性質●潤　影響する臓器●大腸、肺

疲れ型	食べ過ぎ型	ストレス型	冷え型	乾燥型	血行不良型	むくみ型	精神不安型
○	◎	○	△	◎	○	△	◎

こんな体質・症状のときにおすすめ

●胸焼け、ほてり、乾燥肌、便秘、不眠、不安感…消化管を潤し善玉菌を増やすので、熱感を伴う(食)や(乾)に多い胸焼けに即効性があります。肌や腸など全身の乾燥を改善し、心を潤すため、(ス)・(乾)・(精)に向きます。

こんな体質・症状のときは控えめに

●冷え…とろりとした形状から温度を保持しやすいので、体が冷えているときは注意して。水を増やす酸味を持ち、冷えを伴うむくみにも合いません。シナモンやコーンフレークを足すとよいでしょう。降圧剤との併用は血圧を上昇させるため避けましょう。

相性のよい食材

●**プルーン、干しぶどう**…血を補い、気持ちを安定させます。●**りんご、パイナップル**…胸焼け解消に働きます。●**コーンフレーク、あずき**…水分を吸収し代謝を助けるため、むくんでいるときに合わせて。

おすすめレシピ

●**フルーツヨーグルト【乾燥肌、不安感、不眠、便秘、つわりに】**…①ヨーグルトに乾燥したプルーン、レーズンなどのドライフルーツを入れて冷蔵する。②半日程度寝かせ、旬の果物を添える。

●**ダイエッターマヨネーズ【ダイエット、便秘、ストレスに】**…①マヨネーズに半量以上のヨーグルトを合わせる。②塩少々、レモン汁、こしょうなどを加え、レモンの皮を少々すりおろす。

●骨を強くし、リラックスにもつながる

チーズ

旬●通年　体温への影響●平　性質●潤　影響する臓器●肝臓、膵臓、肺

疲れ型	食べ過ぎ型	ストレス型	冷え型	乾燥型	血行不良型	むくみ型	精神不安型
○	△	○	○	○	○	○	◎

こんな体質・症状のときにおすすめ

●不安、不眠、乾燥肌、コロコロ便、骨の老化…肺・皮膚《ひふ》・大腸を潤し、(乾)の肌や粘膜に潤いを与え、コロコロ便を滑らかにします。吸収しやすいカルシウムが骨を強化し、(精)の気持ちをしっかり落ち着かせ安眠に導きます。

こんな体質・症状のときは控えめに

●舌苔《ぜったい》が厚くなっているとき、消化不良…くどく補う性質があるので、さっぱり排出したい(食)には不向き。粉チーズを酢と混ぜ、キャベツや大根にかけて。

相性のよい食材

●**ハム、魚練製品、じゃこ、レーズン、ナッツ**…骨を強くし、血を増やして、気持ちを落ち着かせます。●**きのこ類、タバスコ、レモン、ワイン**…しつこい性質を解消する食材と合わせます。

おすすめレシピ

●**レーズン・ナッツのクリームチーズ和え【不安感、不眠、コロコロ便、乾燥肌、骨の老化に】**…①レーズン、砕いたくるみ、アーモンドなどをクリームチーズに混ぜ合わせる。②お好みで蜂蜜を加える。クラッカーなどにのせて。

●**野菜の和風チーズ焼き【不安感、骨の老化、便秘に】**…①耐熱皿に食べやすく切ったトマト、きのこ、ピーマン、ちくわを敷き、溶けるチーズ、じゃこをちらす。②チーズに焦げ目がつくまでオーブントースターで焼く。

ヨーグルト

第10章

飲料

●苦味で気や心を落ち着かせる

緑茶・ほうじ茶・紅茶

旬●通年　体温への影響●寒～温　性質●降、収　影響する臓器●心臓、肺、腎臓、肝臓

疲れ型	食べ過ぎ型	ストレス型	冷え型	乾燥型	血行不良型	むくみ型	精神不安型
△（緑茶以外は○）	○	○	×（緑茶以外は○）	○（緑茶以外は△）	○	△（緑茶以外は○）	○

こんな体質・症状のときにおすすめ

●イライラ、落ち着かなさ…苦味は気を収める働きがあります。茶は、社会の中で人が自我を抑え、周囲と調和しようとする気持ちから求めたもの。心を落ち着かせます。

こんな体質・症状のときは控えめに

●冷え、むくみ、たるみ、胃下垂、脱《だっ》肛《こう》…緑茶は冷やし、気を落ち着かせるので、(冷)には避けましょう。気の不足で水が滞り重力で下垂する症状にも向きません。ほうじ茶、発酵させた紅茶にして。

それぞれの特徴と組み合わせ

●**緑茶**…冷やし、解毒する食効が強く、(冷)には合いません。体が熱くてイライラするときに最適です。(食)・(乾)は熱がとれるでしょう。肝臓の熱を下げるため、視力回復にも働きます。登山で緑茶を持って行く人も多いですが、山は天候が変わりやすく、体を冷やす緑茶は危険。高山病を誘発しやすくもなります。必ず、ほうじ茶か紅茶にしましょう。

●**ほうじ茶**…緑茶を火で焦がしたもの。緑茶よりも冷やす作用が軽減されています。梅干しと醤油をお好みで合わせる梅醤番茶は、下痢や無気力を改善します。

●**紅茶**…温め、肩～頭部の血流をよくし、脳梗塞の予防・登山におすすめ。(冷)は温めるしょうが紅茶、(乾)・(ス)はレモン紅茶が向きます。

●酒の辛味でストレス発散し、血行促進

日本酒・焼酎・ビール・ワイン・ウイスキー

旬●通年　体温への影響●平～熱　性質●昇、散、潤　影響する臓器●五臓ほぼすべて

疲れ型	食べ過ぎ型	ストレス型	冷え型	乾燥型	血行不良型	むくみ型	精神不安型
○	△	○	○	△	○	△	○

こんな体質・症状のときにおすすめ

●気分転換したい、冷え、肩こり、風邪のひき始め…辛味は体の内から外に気や水を発散する働きがあります。こもったものを外に飛び出させ、悲しい気持ちも楽に。肩こりや風邪のゾクゾクにも合います。

こんな体質・症状のときは控えめに

●のぼせ、上部の出血傾向、乾燥…気を上昇させ体を熱くするので、のぼせる症状には不向き。熱が苦しい(乾)・(食)はビールで。

それぞれの特徴と組み合わせ

●**日本酒**…気を補う性質が、(疲)・(冷)に不足する気を増やし、疲労回復、血流促進に導きます。(食)・(む)には合わないので、(食)は大根サラダ、(む)は海藻サラダと一緒に。

●**ビール**…特に(食)・(ス)・(乾)・(精)向きです。穀物の気が入り、夏バテにも有効。(む)はキムチ、(疲)・(冷)は焼肉と一緒に。ストレスを解消したいときやイライラするときにはオレンジの皮を、クヨクヨするときには唐辛子を合わせるとよいでしょう。

●**ワイン**…濃い赤は血を補い、(疲)には向きますが、(冷)には不向きなので、発散するペッパーチーズをおつまみに。

●**焼酎、ウイスキー**…温める作用が強く、血行不良に最適。(食)・(乾)はレモンなどを添え冷やして。

●心を落ち着かせ、安眠へと導く

牛乳

旬●通年　体温への影響●平　性質●降、潤　影響する臓器●脾臓、胃

疲れ型	食べ過ぎ型	ストレス型	冷え型	乾燥型	血行不良型	むくみ型	精神不安型
○	△	○	△	◎	○	△	◎

こんな体質・症状のときにおすすめ

●貧血、不眠、不安感、粘膜・肌の乾燥、骨の弱り…乳は子どもを育むために母親の血液が変化したもの。血を補い、精神安定に働きます。特に牛乳は心を養うので、安心・安眠に導きます。

こんな体質・症状のときは控えめに

●舌苔《ぜったい》が厚いとき、冷え、下痢《げり》…血や気を補うため、余分なものを排出したい(食)・(む)には合いません。冷やす性質は、(冷)、下痢にも不向きです。

相性のよい食材

●**ほうれんそう、にんじん、ごま、カキ**…血を補う働きを高めて心と体を潤し、安心させます。●**カモミール、ローズ、バニラビーンズ**…気を巡らせ、リラックス効果を高めます。

おすすめレシピ

●**牛乳ごまプリン【貧血、粘膜・肌・髪の乾燥、白髪、便秘に】**…①牛乳400㎖に練乳、すった黒ごまを入れ温める。②水でふやかしたゼラチン10gを溶かし入れて型に流し、冷やし固める。

●**アロマホットミルク【不眠、不安感、ストレスに】**…①牛乳を小鍋に入れ、カモミールのティーバッグを入れて火をつける。②カモミールの香りが立ってきたら火をとめ、お好みで砂糖、蜂蜜を入れる。（バニラビーンズ、ブランデーなどでつくっても）※眠る前のリラックスタイムに。

●乾燥を潤し、滋養する畑のミルク

豆乳

旬●通年　体温への影響●平　性質●潤　影響する臓器●五臓すべて、膀胱

疲れ型	食べ過ぎ型	ストレス型	冷え型	乾燥型	血行不良型	むくみ型	精神不安型
○	△	○	△	◎	○	△	○

こんな体質・症状のときにおすすめ

●粘膜・肌の乾燥、胃腸炎症、貧血、痰《たん》、高脂血症・動脈硬化・骨粗鬆症《こつそしょうしょう》・更年期障害の予防…気と血を増やす豆乳は、粘膜の炎症に最適。固まった痰も出やすくします。血流を促す効果も。

こんな体質・症状のときは控えめに

●舌苔《ぜったい》が厚いとき、冷え、下痢《げり》…老廃物を排出したい(食)・(む)は調整豆乳は合いません。無調整の豆乳を利用しましょう。(冷)は温めて黒砂糖やごまを加えて。

相性のよい食材

●**黒蜜**…粘膜を潤す働きを高めます。

●**大根、白菜、わさび**…補い過ぎを防ぎ、痰を排出する作用を増します。

●**ねぎ、しょうが、ごま**…潤し過ぎを防止。

おすすめレシピ

●**甘豆乳【乾燥、粘膜の炎症、胃腸の炎症による痛みに】**…①豆乳1カップに麦芽糖25gを合わせる。②空腹時にゆっくり飲む。

●**白スープ【黄色い痰、咳、便秘に】**…①白菜、大根をだし汁で煮る。②豆乳を加え、塩で味を調えたら、仕上げに刻んだゆずの皮を散らす。

●**引き揚げ湯葉【更年期、老化に】**…①豆腐ができる豆乳を中火で加熱。②沸騰したら弱火にし、表面の湯葉をお好みの薬味、調味料につける。体質に合う薬味を使うとよい。（第11章参照）

●体を構成する、生命の源

水

旬●通年　体温への影響●涼　性質●降、潤　影響する臓器●五臓すべて

疲れ型	食べ過ぎ型	ストレス型	冷え型	乾燥型	血行不良型	むくみ型	精神不安型
△	○	○	△	○	○	△	○

こんな体質・症状のときにおすすめ

●のどの渇《かわ》き、ほてり、老廃物が多いとき…水は生命の営みの媒体。栄養を溶かして潤し、心と体をクールダウンして、老廃物の排出を助けます。㊛の水分不足による上部熱感に適します。㊜は、老廃物が排出されるでしょう。

こんな体質・症状のときは控えめに

●冷え、疲れ、むくみ、胃下垂…舌に歯形がつくときは水分過剰の現れ。内臓が余分な水の重力で下垂して、やる気が出てきません。白湯を小さな湯呑で少しずつ飲みましょう。

水の種類と特徴

●**純水**…水素・酸素原子の化合物。ミネラルがなく、常飲は危険です。

●**水道水**…煮沸しても取り除けない有害物質があります。

●**天然水**…自然の岩層や腐葉土層を通し、ミネラル、酸素が溶けています。

水の効果的な飲み方

●**水療法【黄色い舌苔がつくときの老廃物の排出、デトックス、便秘に】**…毎朝、空腹時に飲める分量の天然水を飲み、1時間後朝食をとる。

●**水控えめ療法【舌に歯型がつくとき、冷え、むくみ、無気力、胃下垂に】**…無理に水分を摂らず、体が求めたときに、少しずつ天然水を飲む。

●**ペロペロ療法【水分制限の時に】**…動物たちに習い、平たい皿に水を入れ、ペロペロとなめるように飲む。※このやり方だと、たくさん飲む前にのどの渇きが癒されます。

第11章

調味料・油脂類

●やる気を応援する“海の味”

塩味の調味料

旬●通年　体温への影響●寒　性質●収　影響する臓器●脾臓、腎臓

疲れ型	食べ過ぎ型	ストレス型	冷え型	乾燥型	血行不良型	むくみ型	精神不安型
○	△	△	○	△	○	△	△

こんな体質・症状のときにおすすめ

●無気力、だるさ、気力減退、冷え…

塩味は腎臓につながり、強い気持ちをつくります。取り入れると体の水分の影響が減少し、熱エネルギーを上げ、体を温めます。冷えや疲労でやる気が出ないときは、塩分で気力を出して。

こんな体質・症状のときは控えめに

●上部の熱感、ほてり、乾燥、高血圧…体の水分を相対的に減らし熱が昇りやすいので、(食)・(ス)・(乾)の熱性の症状には不向き。苦味・酸味と合わせましょう。

それぞれの特徴と組み合わせ

●**塩**…水分の影響を減らすため、乗り物酔いなどの症状は、塩・梅干しで改善されます。摂り過ぎると血圧を上げ心臓の負担となるため、苦味のあるにがり入りの天然塩を使うとよいでしょう。

●**味噌**…胃腸を温め気を補いつつ、解毒する作用が。白味噌は気を補う力が強く、疲労回復につながります。赤味噌は発散力に優れ風邪のひき始めや、肩こりに向きます。肉や魚は味噌漬にすれば、解毒と消化を促進します。

●**醤油**…味噌より少し弱いですが、消化器を元気にし、解毒を助けます。うつやイライラを和らげ、食欲を増進。心臓を強くする作用もあり、卵の黄身と同量の醤油を合わせる民間療法が有名です。

●脳の栄養となり、心身を緩める味

甘味の調味料

旬●通年　体温への影響●涼～温　性質●散、潤　影響する臓器●肝臓、脾臓、肺

疲れ型	食べ過ぎ型	ストレス型	冷え型	乾燥型	血行不良型	むくみ型	精神不安型
○	△	○	△	○	△	△	○

こんな体質・症状のときにおすすめ

●心身の緊張、筋肉痙攣《けいれん》、胃痛、空咳《からぜき》…甘味は消化器とつながり、緊張を緩め、心身をリラックスさせます。(ス)の急な胃痛、胃痙攣は緊張が原因。甘味で緩和されます。血や気を補い、潤す食効は、(疲)・(乾)に向きます。

こんな体質・症状のときは控えめに

●舌苔《ぜったい》が多いとき、むくみ…水分を閉じ込め、余分なものを増やすので(食)・(む)には合いません。甘味が欲しいときは、消化を助ける蜂蜜で。

それぞれの特徴と組み合わせ

●**氷砂糖**…最も冷やす働きが強く、肺を潤すため、乾燥・炎症症状に向き、空咳、黄色い痰・咳を緩和します。

●**白砂糖**…胃の緊張を緩めるので、胃痛や胃痙攣におすすめ。しょうが・シナモンなどと合わせると、(冷)にも合います。

●**黒砂糖**…ミネラルが多く胃腸を温め血や気を補う力に優れます。(ス)・(冷)の胃痛、生理痛、風邪のひき始めにしょうがと合わせて使って。

●**粗糖**…白砂糖ほど冷やさず、黒砂糖ほど補いません。ミネラルが多く、常用できる、おすすめの砂糖です。

●**蜂蜜**…解毒・便通を助ける作用が、(食)・(む)にとって、ややよい甘味調味料となります。(乾)のコロコロ便には、黒ごま30g、蜂蜜と牛乳各々30㎖を合わせ、空腹時に飲みましょう。

●**水あめ**…子どもや高齢者の胃腸虚弱に向きます。やせている(疲)にもぴったり。

●水を増やし、さっぱりさせる

酸味の調味料

旬●通年　体温への影響●涼～温　性質●収　影響する臓器●肝臓、胃

疲れ型	食べ過ぎ型	ストレス型	冷え型	乾燥型	血行不良型	むくみ型	精神不安型
△	○	○	△	○	○	△	○

こんな体質・症状のときにおすすめ

●乾燥、ほてり、イライラ、攻撃的な気持ち、汗の出過ぎ、ドロドロ血、高血圧予防…酸味は解毒を助け、あらゆるものを体内に引きとめ、怒りやイライラを鎮《しず》めます。水分を生み出す作用が心身を潤すため、(ス)・(乾)に向きます。血をサラサラに変えるので、(食)・(血)の高血圧予防にも適します。

こんな体質・症状のときは控えめに

●冷え、むくみ、たるみ、胃下垂、胃炎…水を増やす酢は、(疲)・(冷)の水分過剰による下垂症状には不向き。辛味を加味して。(乾)で胃の粘膜が荒れている場合は、甘味とともに。

それぞれの特徴と組み合わせ

●**米酢**…水が増え、清涼感が得られ(乾)に向きますが、消化器の粘膜を荒らすので甘味を足しましょう。(食)には解毒、(ス)にはイライラ解消、(血)には浄血に働きます。

●**黒酢**…透き通った米酢に比べて気を補い温める食効があり、(疲)・(冷)にもおすすめ。蜂蜜と合わせたドリンクは筋肉疲労に効果的。

●**玄米酢**…薄い茶色の玄米酢は、米酢ほど冷やさず、黒酢ほど気を補いません。中間の食効を持ちます。

●**りんご酢**…消化・解毒の効果が高く、肝臓を助けます。爽やかな香りで気を巡らせるので、(ス)にぴったり。潤す作用は酢の中ではトップですが、粘膜が荒れやすい(乾)には蜂蜜など甘味と合わせて。

●風邪や湿気を発散し、軽くする

辛味の調味料

旬●通年　体温への影響●温～熱　性質●昇、散　影響する臓器●脾臓、腎

疲れ型	食べ過ぎ型	ストレス型	冷え型	乾燥型	血行不良型	むくみ型	精神不安型
△	△	△	○	×	○	○	×

こんな体質・症状のときにおすすめ

●風邪のひき始め、むくみ、だるさ、気力減退、悲しみ、冷え…辛味は肺とつながり、水分や風邪、悲しみを発散して飛ばす働きがあります。冷えを伴うむくみにもよく合います。気を巡らせ、体を温めるため、(冷)・(血)にも向きます。

こんな体質・症状のときは控えめに

●目の充血、のぼせ、ほてり、乾燥、イライラ、怒り…熱が昇るため、(食)・(ス)・(乾)の体上部の熱感を伴う症状には不向き。酸味を添えて。

それぞれの特徴と組み合わせ

●**こしょう**…お腹を温め、余分な水分を発散するため(冷)に合います。酢と合わせると発散の行き過ぎを防ぎます。

●**唐辛子**…気や血を巡らせるため、(冷)・(血)に適します。唐辛子に乳酸発酵による酸味と涼性の白菜を合わせたキムチは、全体質に合う組み合わせ。特に(む)に向きます。

●**洋がらし**…炭水化物の消化を助け、解毒分解を促進する作用が(食)・(む)に合います。サンドイッチには必須。

●**山椒**…体を温めつつ、気は落ち着かせます。(冷)・(ス)に適した辛味。のどや胸のつかえをとり、視力を回復させます。さっぱりと発散するので、(む)にもおすすめです。

●**カレー粉**…ウコンが、辛味でダメージを受ける肝臓を守ります。気や血を巡らせ(ス)・(冷)・(血)に合います。(乾)にはチャツネやヨーグルトを合わせて。

●体を温め、ツヤを出す

油脂類

旬●通年　体温への影響●温　性質●潤　影響する臓器●大腸

疲れ型	食べ過ぎ型	ストレス型	冷え型	乾燥型	血行不良型	むくみ型	精神不安型
○	△	△	○	○	○	△	○

こんな体質・症状のときにおすすめ

●コロコロ便、乾燥肌、冷え、血行不良…コロコロ便を滑らかにする作用があり、(乾)の便秘に適します。適量の摂取は血液循環をよくし、潤すので、(疲)・(冷)・(乾)・(血)の顔色にツヤを出します。

こんな体質・症状のときは控えめに

●舌苔《ぜったい》が多い、むくみ、ほてり、怒り…余分なものを増やすので(食)・(む)には合いません。(ス)・(乾)もほてりやイライラが強いときは控えめにし、酸味を加えましょう。

それぞれの特徴と組み合わせ

●**菜種油**…消化を促進し、解毒力があります。加熱にも強く酸化しにくいため常用におすすめです。

●**ごま油**…老化防止に効果的。腹痛や腫れ物を緩和しますが、胸焼けには要注意です。

●**大豆油**…お腹を温める作用があるので、胃腸の冷えに。

●**バター**…五臓を補い、気や血を増やす働きがあります。疲労、貧血など不足の症状に向き、余分なものが多い(食)・(む)は繊維と合わせて。

●**ラード**…疲れや体の破損を補う長所があり、便秘にも効果的です。(食)・(む)は使用を避けましょう。

●**オリーブ油**…炎症を鎮め、体を熱くし過ぎないので(乾)に合います。解毒力もあり(食)に適します。

食材ごとの
体質別相性リスト

食材ごとの体質別相性リスト❶

掲載ページ	食材名	疲れ型	食べ過ぎ型	ストレス型	冷え型	乾燥型	血行不良型	むくみ型	精神不安型
第1章_穀物									
054	米	○	△	○	○	○	○	○	○
055	もち米	○	△	△	◎	△	○	△	△
056	玄米	○	○	○	○	○	○	○	○
057	小麦	○	△	○	○	○	○	○	◎
058	大麦	○	◎	○	△	○	○	○	○
059	黒米・赤米	◎	△	○	◎	△	○	○	○
060	そば	△	◎	○	△	○	○	○	○
061	ハト麦	△	◎	○	△	○	○	○	○
062	とうもろこし	△	◎	○	△	○	◎	◎	○
第2章_豆類									
064	大豆	○	○	○	○	○	◎	○	○
065	黒豆	◎	△	○	○	○	◎	○	◎
066	あずき	○	△	○	○	△	○	○	○
067	緑豆	○	○	○	△	○	○	◎	○

掲載ページ	食材名	疲れ型	食べ過ぎ型	ストレス型	冷え型	乾燥型	血行不良型	むくみ型	精神不安型
068	いんげん豆	◎	△	○	○	○	○	○	○
069	えんどう豆	◎	△	○	○	○	○	○	○
070	そら豆	○	△	○	△	○	○	○	○
	第3章_種実類								
072	黒ごま・白ごま	○	△	○	○	○	○	△	○
073	栗	◎	△	○	◎	○	◎	○	○
074	ぎんなん	○	○	○	○	△	○	○	○
075	落花生	○	△	○	○	○	○	△	○
076	くるみ	○	△	○	◎	△	○	△	△
	第4章_芋物								
078	さつまいも	◎	△	△	◎	○	○	○	○
079	じゃがいも	○	△	△	○	○	○	○	○
080	さといも	○	△ (外用◎)	△ (外用◎)	○	○	○	△ (外用○)	○
081	やまいも	◎	○	○	○	◎	○	○	◎

食材ごとの体質別相性リスト❷

掲載ページ	食材名	疲れ型	食べ過ぎ型	ストレス型	冷え型	乾燥型	血行不良型	むくみ型	精神不安型
第5章_野菜・きのこ類									
084	キャベツ	○	◎	○	○	○	○	◎	○
085	白菜	△	◎	○	△	○	○	○	○
086	ブロッコリー・カリフラワー	○	○	○	△	○	○	○	○
087	チンゲン菜	△	◎	○	△	○	◎	○	◎
088	小松菜	△	◎	○	△	◎	○	○	◎
089	ほうれんそう	△	○	○	△	◎	○	○	◎
090	にら	○	○	○	◎	△	◎	○	◎
091	レタス	△	◎	◎	△	○	○	○	◎
092	春菊・菊の花	△	○	◎	△	○	○	○	◎
093	セロリ	△	○	◎	△	○	○	○	◎
094	アスパラガス	○	○	○	○	◎	○	○	○
095	もやし	△（大豆もやしは○）	◎	○	△	◎	○	◎	○
096	ふき	△	◎	◎	△	○	◎	○	○
097	うど	○	○	◎	○	△	○	◎	○

掲載ページ	食材名	疲れ型	食べ過ぎ型	ストレス型	冷え型	乾燥型	血行不良型	むくみ型	精神不安型
098	たけのこ	△	◎	○	×	○	○	○	○
099	なす	△	◎	○	×	○	◎	○	○
100	ピーマン	△	○	◎	△	○	○	○	○
101	トマト	△	○	○	△	◎	○	△	◎
102	きゅうり	△	◎	○	△	◎	○	○	○
103	ゴーヤ	△	◎	◎	×	○	○	○	○
104	かぼちゃ	○	△	○	◎	△	○	○	○
105	とうがん	△	○	○	×	○	△	○	○
106	おくら	○	◎	○	○	○	◎	○	○
107	大根	△	◎	○	△	○	○	△	○
108	かぶ	○	◎	○	△	○	○	△	○
109	にんじん	◎	○	○	○	○	○	○	◎
110	ごぼう	△	◎	○	△	○	○	○	○
111	れんこん	◎	○	○	○	◎	○	○	◎
112	ねぎ・わけぎ・あさつき	○	△	○	◎	△	○	○	△

食材ごとの体質別相性リスト❸

掲載ページ	食材名	疲れ型	食べ過ぎ型	ストレス型	冷え型	乾燥型	血行不良型	むくみ型	精神不安型
113	たまねぎ	○	○	◎	○	△	◎	○	○
114	らっきょう	○	△	△	◎	×	◎	○	△
115	しいたけ	○	○	○	△	○	○	○	○
116	えのき・しめじ	△	◎	○	△	○	○	○	○
117	まいたけ	○	○	○	△	○	○	○	○
118	黒きくらげ・白きくらげ	○	○	○	△	◎	○	○	○
119	ニンニク	○	△	△	◎	×	○	○	△
120	しょうが	○	○	△	◎	×	○	○	△
121	みょうが	○	◎	◎	△	△	◎	○	△
122	しそ	○	○	◎	○	△	◎	○	○
123	わさび・クレソン	△	◎	◎	△	△	○	○	△
124	せり・パセリ・三つ葉	△	◎	◎	△	△	○	○	○
	第6章_果物								
126	りんご	△	◎	◎	△	○	○	○	○
127	なし	△	○	◎	×	◎	○	△	○

掲載ページ	食材名	疲れ型	食べ過ぎ型	ストレス型	冷え型	乾燥型	血行不良型	むくみ型	精神不安型
128	すいか	△	◎	○	×	◎	○	○	○
129	梅	△	◎	◎	△	○	○	△	○
130	みかん	△	○	◎	△	◎	○	△（皮は○）	○
131	柿	△	○（干し柿は△）	○	×	◎	○	△	○
132	いちじく	○	○	○	○	◎	○	○	○
133	ぶどう・ブルーベリー	○	○	○	○	◎	○	○	◎
134	桃	◎	○	○	○	○	◎	△	○
135	すもも・プルーン	△	○	○	△	○	○	△	◎
136	かりん	△	○	◎	△	○	○	△	○
137	びわ	○	○	○	△	◎	○	△	○
138	いちご	○	◎	◎	△	◎	○	△	◎
139	バナナ	△	△	○	△	◎	○	○	○
140	パイナップル	△	◎	○	△	○	○	△	○
141	キウイ	△	◎	◎	×	○	○	△	○
142	アボカド	○	△	○	○	○	○	△	○

食材ごとの体質別相性リスト④

掲載ページ	食材名	疲れ型	食べ過ぎ型	ストレス型	冷え型	乾燥型	血行不良型	むくみ型	精神不安型
143	ザクロ	△	○	○	△	○	○	△	○
第7章_肉・卵類									
146	鶏肉	◎	△	○	◎	○	○	○(脂は△)	○
147	豚肉	◎	△	○	○	○	○	○(脂は△)	○
148	牛肉	○	△	△	○	△	○	○(脂は△)	○
149	羊肉	○	△	△	◎	△	○	○(脂は△)	○
150	馬肉	○	△	○	○	○	○	○	○
151	レバー	○	△	○	○	○	○	○	○
152	手羽	○	△	○	○	○	○	△	○
153	砂肝	○	○	○	○	○	○	○	○
154	牛すじ	○	△	○	○	○	○	△	○
155	豚足	○	△	○	○	○	○	△	○
156	鶏卵	◎	△	○	○	○	○	○	○
157	うずら卵	◎	△	○	○	○	○	○	○

掲載ページ	食材名	疲れ型	食べ過ぎ型	ストレス型	冷え型	乾燥型	血行不良型	むくみ型	精神不安型
第8章_魚介類・海藻									
160	イワシ	○	△	○	○	○	◎	○	○
161	アジ	○	△	○	○	○	◎	○	○
162	サバ・サンマ	○	△	○	○	○	○	○	○
163	ブリ	○	△	○	○	○	○	○	○
164	サケ	○	△	○	○	○（塩ザケは△）	○	○	○
165	カツオ	○	△	○	○	○	○	○	○
166	マグロ	◎	△	○	○	○	○	○	○
167	タイ	○	△	○	○	○	○	○	○
168	タラ	○	△	○	○	○	○	○	○
169	ウナギ	○	△	○	○	○	○	○	○
170	ハモ	○	○	○	△	◎	○	○	○
171	マス・ニジマス	○	△	○	○	○	○	○	○
172	シシャモ	○	△	○	○	○	○	△	○
173	イカ	○	△	◎	○	○	○	○	○

食材ごとの体質別相性リスト⑤

掲載ページ	食材名	疲れ型	食べ過ぎ型	ストレス型	冷え型	乾燥型	血行不良型	むくみ型	精神不安型
174	エビ	◎	△	○	◎	△	○	○	○
175	タコ	○	○	◎	△	○	○	○	◎
176	カニ	○	△	○	△	○	○	○	○
177	ウニ	○	○	○	○	○	○	○	○
178	アサリ・シジミ	○	○	○	△	◎	○	○	◎
179	ホタテ	○	○	○	△	○	○	○	○
180	カキ	○	△	○	△	○	○	△	◎
181	ワカメ・昆布・のり	△	◎	○	×	○	○	○	○
182	ひじき	△	◎	○	△	○	○	○	◎
第9章_加工食品									
184	麹	◎	◎	○	◎	○	○	○	○
185	おから	△	◎	○	△	△	○	○	○
186	豆腐	○	◎	○	△	◎	○	△	○
187	油揚げ・高野豆腐	○	△	○	○	△	○	○	○
188	納豆	○	◎	○	○	○	◎	○	○

掲載ページ	食材名	疲れ型	食べ過ぎ型	ストレス型	冷え型	乾燥型	血行不良型	むくみ型	精神不安型
189	こんにゃく	△	◎	○	△	○	◎	○	○
190	ヨーグルト	○	◎	○	△	◎	○	△	◎
191	チーズ	○	△	○	○	○	○	○	◎
第10章_飲料									
194	緑茶・ほうじ茶・紅茶	△（緑茶以外は○）	○	○	×（緑茶以外は○）	○（緑茶以外は△）	○	△（緑茶以外は○）	○
195	日本酒・焼酎・ビール・ワイン・ウイスキー	○	△	○	○	△	○	△	○
196	牛乳	○	△	○	△	◎	○	△	◎
197	豆乳	○	△	○	△	◎	○	△	○
198	水	△	○	○	△	○	○	△	○
第11章_調味料・油脂類									
200	塩味の調味料	○	△	△	○	△	○	△	△
201	甘味の調味料	○	△	○	△	○	△	△	○
202	酸味の調味料	△	○	○	△	○	○	△	○
203	辛味の調味料	△	△	△	○	×	○	○	×
204	油脂類	○	△	△	○	○	○	△	○

漢方のプロが教える
最高の体調をつくる食事術

発行日　2020年7月1日　第1刷

著者　山本竜隆　石部晃子

本書プロジェクトチーム
編集統括　柿内尚文
編集担当　池田剛
カバーデザイン　小口翔平、岩永香穂（tobufune）
本文デザイン　五味朋代（フレーズ）
イラスト・漫画　キットデザイン
編集協力　堀田康子
校正　東京出版サービスセンター

営業統括　丸山敏生
営業推進　増尾友裕、藤野茉友、綱脇愛、渋谷香、大原桂子、桐山敦子、矢部愛、
販売促進　寺内未来子、池田孝一郎、石井耕平、熊切絵理、菊山清佳、櫻井恵子、
吉村寿美子、矢橋寛子、遠藤真知子、森田真紀、大村かおり、高垣真美、
高垣知子、柏原由美
プロモーション　山田美恵、林屋成一郎
講演・マネジメント事業　斎藤和佳、高間裕子、志水公美

編集　小林英史、舘瑞恵、栗田亘、村上芳子、大住兼正、菊地貴広
メディア開発　中山景、中村悟志、長野太介
総務　千田真由、生越こずえ、名児耶美咲
マネジメント　坂下毅
発行人　高橋克佳

発行所　株式会社アスコム

〒105-0003
東京都港区西新橋2-23-1　3東洋海事ビル
編集部　TEL：03-5425-6627
営業部　TEL：03-5425-6626　FAX：03-5425-6770

印刷・製本　中央精版印刷株式会社

Printed in Japan ISBN 978-4-7762-1091-7

本書は、2014年8月に弊社より刊行された『食べもので「体の不調」を治す本』を改題し、
一部修正したものです。